中国国家地理·自然教育

CHINESE NATIONAL GEOGRAPHY NATURE EDUCATION

中国国家地理的自然课

课本里的 奇妙地理

中国国家地理自然教育中心 / 编著

独见工作室 / 绘

U0258756

中信出版集团 | 北京

图书在版编目（CIP）数据

课本里的奇妙地理 / 中国国家地理自然教育中心编
著 ; 独见工作室绘 . -- 北京 : 中信出版社 , 2023.8（2023.11 重印）
（中国国家地理的自然课）
ISBN 978-7-5217-5754-5

Ⅰ . ①课… Ⅱ . ①中… ②独… Ⅲ . ①地理—少儿读
物 Ⅳ . ① K9-49

中国国家版本馆 CIP 数据核字（2023）第 104771 号

课本里的奇妙地理

（中国国家地理的自然课）

编 著 者：中国国家地理自然教育中心
绘 者：独见工作室
出版发行：中信出版集团股份有限公司
　　　　　（北京市朝阳区东三环北路27号嘉铭中心　邮编　100020）
承 印 者：北京盛通印刷股份有限公司

开 本：720mm×970mm 1/16　　　　　印 张：11.25　　　　　字 数：275千字
版 次：2023年8月第1版　　　　　印 次：2023年11月第2次印刷
审 图 号：GS京（2023）1376号
书 号：ISBN 978-7-5217-5754-5
定 价：49.80元

出 品：中信儿童书店
图书策划：好奇岛
策划制作：中国国家地理自然教育中心
特约主编：宋静茹
执行主编：罗心宇
文字作者：罗心宇　黄　英　杨帅斌
特约编辑：王思一　赫志洁　黄一鑫
插图绘制：赵　参　梁译丹　许音音　梁　明
封面绘制：丁立依
装帧设计：谢佳静　李艳芝　梁　明
策划编辑：鲍　芳　明立庆
责任编辑：房　阳
科学审校：刘　莹
营 销：中信童书营销中心

版权所有·侵权必究
如有印刷、装订问题，本公司负责调换。
服务热线：400-600-8099
投稿邮箱：author@citicpub.com

序言

  中国国家地理大家庭的每一位成员，都经常会思考这样一个问题：要如何把科学传播给每一个人？曾经，我们的目标读者是对地理学感兴趣的中产人群，而中国国家地理历经二十余年的发展，成为中国最受欢迎的科学传媒之一，这个任务的内涵已经扩大了许多。无论是古稀之年的老人，还是垂髫之年的孩童，都需要去了解科学，爱上科学，掌握科学。同时，科学传播始终有两个难点：如何选出读者感兴趣的话题，怎样说出读者听得懂的话语。当我们着眼于带着孩子们认识大千世界的基本规律时，如何讲好科学故事就显得尤为重要了。

  为了给孩子讲好科学故事，中国国家地理自然教育中心进行了一次让人眼前一亮的尝试，大胆地选择了孩子们的小学语文课本作为灵感的来源。语文课本可以说是一套包罗万象的读物，在编辑部，我们不无夸张地称它是"一成语文，九成通识"。承载在美丽的汉语文身上的，是历史、文化、家国情怀；是经济、劳动和道德品质。除此之外，我们发现，贯穿于整个小学六个年级语文中的一条重要知识线，就是博物学的天地万物。通过六年的学习，孩子们不仅掌握了汉语的听说读写，更是建立了对世界的基本认知，这种认知将在不知不觉中影响终身。相信即使是已为人父母的大人，也能清晰地记起小壁虎的尾巴如何失而复得，"猹"如何敏捷地避开闰土的钢叉，并至今对那故事背后的科学知识充满了好奇。

这就是我们的出发点。我们仔细地通读了小学语文课本，从中找到了各种各样的与自然万物相关的话题点：宇宙、地球、四季、气候、山川、湖泊、动物、植物、生命、演化……当我们将这些散碎的拼图拼接起来，赫然看到了一幅关于天地万物运行之理的壮阔画卷。从地球的位置和条件，到环境的形成和特点，再到生命的生存和演化，都包含在画卷当中，这与我们一直以来的带给小读者们大格局的科学故事的想法不谋而合。于是，我们按照"地球和环境如何形成，动物与植物如何生存"的思路搭建了全书的框架，又对各个话题点进行了提炼、辨析、深化和扩展，终于借课本之力，为小读者们呈现出了一个妙趣横生的生命星球。

"中国国家地理的自然课"是我们送给孩子的一份礼物。希望读过它之后，孩子们会对语文课堂多一些兴趣，对自然科学多一点了解，对这个世界多一份探究。打开书本时，可以把书读厚；合上书本后，能够把路走远。

中国国家地理杂志社社长兼总编辑　李栓科

目录

第 1 章
46 亿年的地球历史

　　从细菌到真菌，从植物到动物，包括我们人类，我们已知的所有生命，都生活在一个叫**地球**的舞台上。从诞生之初，地球就如此特别：它在宇宙中得天独厚的位置，它精巧的结构、薄厚适中的大气层和宝贵的液态水，无不为生命的存在提供了**必要条件**。

　　温柔的地球欣欣向荣，滋养着生命；残酷的地球动荡不安，淘汰着物种。这截然不同的两面，共同创造了地球**兴衰演替**的历史，这些历史并不会被遗忘，它们都已被如实地记录在了**岩石**之中，等待着人类将它翻开。

当世界年纪还小的时候，每样东西都必须学习怎么生活。

—— 部编版小学语文课本，二年级（下）
《当世界年纪还小的时候》

地球是如何出现的？

　　自古以来，人们常常会好奇：我们所生活的**地球**，到底是在什么时候、经历了怎样的过程才形成的？它是从别的星球上脱离下来的，还是外星人的杰作？捕风捉影的猜测不可取，现代天体物理学的研究告诉我们，无论恒星还是行星，都是**宇宙大爆炸**后，飘浮在空间中的气体和尘埃等聚集成的。

从面粉到面团

太阳系的雏形只是一团星云，由飘浮的气体和尘埃构成。事情的改变发生在约 46 亿年前，在这团星云的不远处，一颗超新星爆发了。**超新星爆发**产生的冲击波让星云里的一些颗粒发生碰撞并融合，成了一个稍大的"石块"。在万有引力的作用下，这个"石块"逐渐吸附周围的颗粒，就像一个雪球越滚越大。经过数十万年的扩大后，它吸收了巨量的物质，最终形成了我们熟悉的这个太阳。在吸附与碰撞的过程中，碰撞产生的热量让这颗恒星变得滚烫，巨大的压力下，里面的氢原子不断发生**核聚变反应**，产生了源源不断的能量。

作为整个星系的核心，太阳吸收了星云中 99% 以上的物质，然而还是有一些颗粒脱离了太阳的吸引，排列成几个环，围着太阳旋转。在往后漫长的时间里，这几个环里的颗粒也开始融合，最终形成了太阳系中的**八大行星**，以及一些小行星等天体。其中

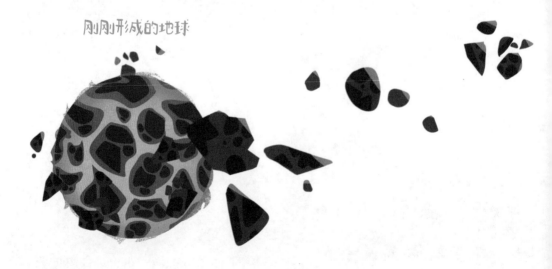

刚刚形成的地球

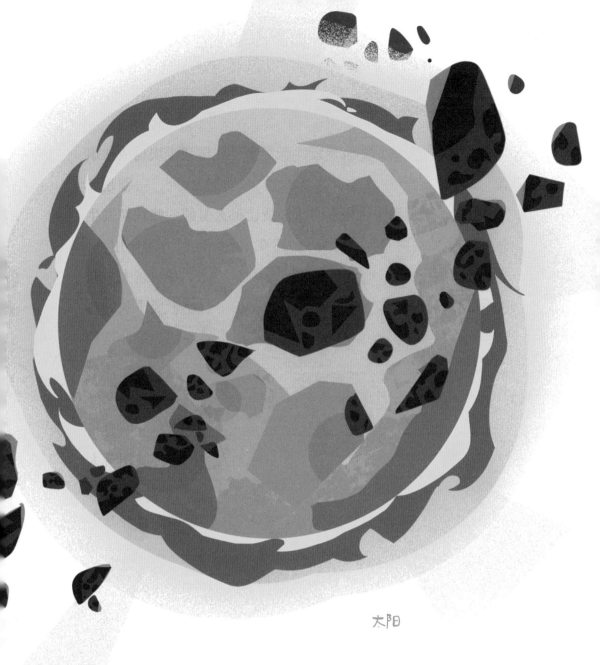

太阳

离太阳第三近的那个环便形成了**地球**。

　　刚刚形成的地球，远没有今天这么大，并且由于碰撞产生热量，整个星球的岩石都是熔化状态。因此，这时的地球是一颗岩浆涌动的"火球"。

地球的伙伴

地球初步形成后，本该慢慢冷却下来，却遭遇了一场重大的**变故**。

在年轻的太阳系中，很多尚未被融合的小星体四处乱飞，其中一个足有火星大小的小行星就撞在了地球上。碰撞极其惨烈，地球与这个叫**忒伊亚**（Theia）的小行

忒伊亚撞击地球的瞬间

星融为一体，同时溅起了巨量的碎屑。最后的结果是：地球的体积增大，并且自转轴偏斜了约 23.5°，从此便只能"歪"着转了。飞溅的碎屑又在空间中形成了一个围着地球转的环，它们继续碰撞融合，最后便形成了地球唯一的天然卫星——**月球**。这是月球形成的众多假说中的一种。

月球的直径是地球的 1/4 多一点，质量约是地球的 1/81，与地球平均距离约 384 400 千米，这个距离只相当于地球直径的 30 倍。在如此近的距离内，地球与月球相互产生了巨大的影响。在引力的作用下，月球围着地球公转，同时自转，它公转一圈大约是 27.3 天，自转一圈也是 27.3 天。于是地球上的人永远只能看见月球的同一个面，让人们不禁对月球背面有什么好奇了起来。

月球形成的整个过程对地球影响至深。一方面，那次碰撞造成的**自转轴倾斜**让地球从此无法均匀地获得太阳光，于是便有了四季。另一方面，月球本身的引力影响着地球上的海水，月球对着哪儿，哪儿的海水就会被它吸引而聚集，水位升高；而其他位置的海水水位则会下降，这种现象就是涨落交替的**潮汐**。潮汐不仅让早期地球上的海洋动了起来，更被一些科学家认为是促使生命诞生的关键条件之一。

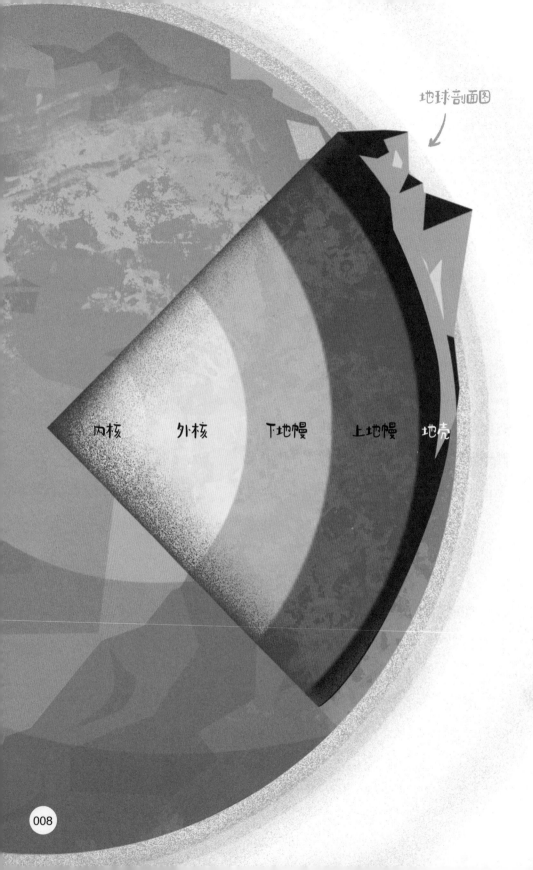

地球剖面图

内核　　　外核　　　下地幔　　　上地幔　地壳

解剖地球

在地球最初的岩浆球状态下，围着太阳旋转产生的离心力使得岩浆中最重的成分**沉降**到了球心，次重的成分包在它外面，最轻的则留在最外圈。慢慢冷却之后，形成了如今的**圈层结构**。

地球最内部的地方叫作**地核**，分为内部的内核和外面包裹的外核。内核是一个坚固的固体金属球，主要成分是铁和镍，还有一点硅和硫。外核据推测是液态的金属，因为这里的放射性元素在衰变时会产生热量，甚至可以使得这里达到和太阳表面一样的温度。地球磁场便是由于外核的存在产生的。

地球的中层结构叫作**地幔**，约占地球体积的80%，主要由硅酸盐构成。地幔也分内外两圈，内圈是下地幔，是固态的；外圈是上地幔，它靠近外面的部分是流动的岩浆组成的软流圈。

软流圈外面是地幔的最外圈，为固态，它和地壳一起组成了**岩石圈**。岩石圈是地球固体圈层的最外层，由于软流圈的流动性，在它上面漂浮的岩石圈板块会相互碰撞、摩擦、挤压，造成板块移动、陆地变迁，也顺带产生了地震、火山爆发、海啸等自然灾害。

水比岩石轻，因此它包在地壳之外，形成了以海洋为主的水圈。水圈之外，就是地球真正的最外圈——**大气圈**了。岩石、水和大气，这就是生命们存在的空间，是地球一切热闹喧嚣的所在。

为什么地球上有生命？

宇宙中有没有**外星人**？相信你也对这个问题感到好奇。至今为止，人类对这个问题的探究都没有实际进展，更没有人见过真正的外星人。不过，我们可以猜测，如果一颗星球上的温度、气候等自然条件与地球相似，那么这样的星球很可能也有生命存在。地球上的生命很坚强，它们能够应对地球上的生存环境；地球上的生命也很脆弱，如果它们暴露在宇宙中强大的能量和辐射下，就将瞬间灰飞烟灭。

古时候，科学不发达，人们一直向往着"天上的世界"。于是，有了许许多多的故事：嫦娥奔月，仙女下凡，蟠桃盛会……现在，科学发达了，人们知道那都是古人编出来的。但是，地球之外的太空中是否有生命存在，仍然是一个吸引人的问题。

—— 部编版小学语文课本，六年级（上）

《宇宙生命之谜》

拥有得天独厚条件的地球

地球上有生命存在也许并非偶然，因为它的位置实在太优越了，如果其他行星也能处在和地球类似的位置上，它发展出生命的可能性恐怕也不小。

太阳系所属的**银河系**是一个旋涡星系，它的形状就像一个巨大的旋涡，四条主要由年轻恒星组成的旋臂围绕着位于中心的核球在旋转。旋臂中充斥着不稳定的恒星、气体和尘埃，是一个危险的地方。幸运的是，我们的太阳系刚好处在两条旋臂之间的空隙，是恒星较为稀疏的地方。离太阳较近的其他恒星很少，这让地球得以避免遭受其他恒星带来的引力争夺、γ 射线暴和超新星爆发等危险。

太阳也是一颗大小"刚刚好"的恒星。巨型恒星的寿命只有短短几百万年，往往还没等到周围形成行星，就已经燃烧殆尽了；而那些体形小于太阳，同时也更加年轻的恒星则非常不稳

定，更容易爆发出各种高能射线，危及周围行星上可能存在的生命。而太阳则大小居中，是一颗非常稳定的恒星，"不耍脾气"，这对于生命的存在是非常必要的。

地球本身的位置也很重要，如果离太阳太近则太热，水就会全部变成水蒸气；如果离太阳太远则太冷，水会全部结冰。在太阳周围不远不近的狭小范围内，温度刚刚好，水能以液态存在，这个地带被称为**宜居地带**。地球刚好处在宜居地带的中间，金星和火星则在这个地带的边缘。同时，地球的大小也是刚刚好，太小则引力不够，会让水飞向外太空；太大则会吸引大量的氢气和氦气，成为像木星和土星那样的气态巨行星。

正是这一系列的"刚刚好"，让地球满足了生命存在的苛刻要求。

除此之外，地球母亲还以很多形式呵护着自己的孩子们：**地磁场**抵挡着太阳耀斑爆发出的绝大部分高能射线；我们的卫星——月球所提供的引力，让倾斜旋转的地球在自转时不至于产生过大的晃动，从而让气候变化不会过于剧烈和频繁；还有大气圈外层的臭氧层挡住了来自太阳的致命紫外线，让地球生灵都安全地沐浴在太阳的恩泽当中。

生命的起源

环境条件已经满足，接下来就是生命从无到有的诞生过程了。生命究竟是什么，从何而来？现代科学秉持的主流观点叫作化学起源说。这个学说认为，地球上原本就存在的无机分子通过化学反应生成了一些可以自我复制的有机分子，这些有机分子构成了生命。大多数物质不具备自我复制的能力，比如水，它只能通过其他一些物质的相互反应生成。但构成生命的一些物质的分子却能够以自身为模板，直接或间接地复制出和自己一模一样的另一个分子。

要构成生命体，有四类分子最关键，而它们有一个共同特点：都是由一个个更小的分子作为单元，像搭积木或者穿糖葫芦一样组合起来的大分子。第一类是磷脂，它组成了细胞膜等膜结构，为生命的基本单元——细胞划定了范围，并控制着细胞的物质进出。第二类是碳水化合物，即糖类，它是生命的燃料，也能形成像植物细胞壁这样的坚硬结构。第三类是以氨基酸为基本单位组成的蛋白质，它是生命体的主要构成物质之一，也是大部分生理活动的直接执行者。第四类是 DNA（脱氧核糖核酸）和 RNA（核糖核酸），它们储存着遗传信息，是各种生理活动的司令部，指挥着细胞的运转。

于是，生物大分子的复制，让细胞能够进行生理活动和分裂。细胞的**分裂**又让生命体成长，当长到足够成熟时，进行最高级别的复制——**繁殖**。所有这一切都要归功于可自我复制的有机分子的出现。可惜，关于无机分子如何变成可自我复制的生物大分子，其中奥秘我们还不清楚。但有不少科学家认为，RNA 是最早出现的生物大分子，随后才进一步演化出了 DNA 和蛋白质等物质。

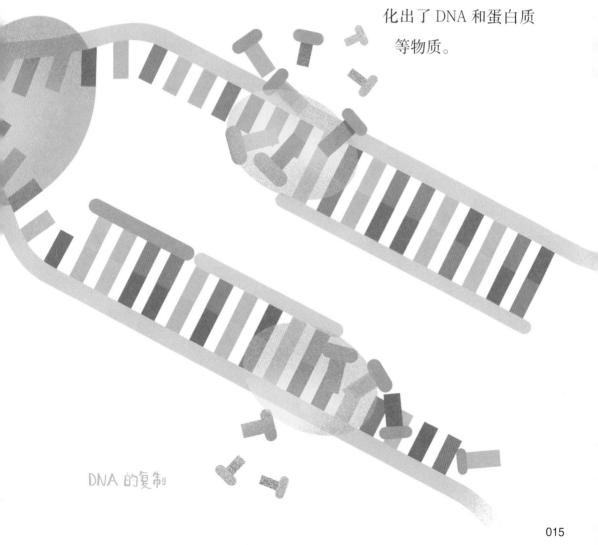

DNA 的复制

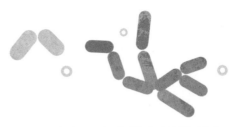

早期的生命

　　生命从无到有，随后踏上了演化的道路。有科学家根据现存生物的 DNA 数据推算，地球上最早的生命是在地球形成后不久，即大约 45.19 亿~44.77 亿年前出现的。而人们发掘出的化石证据则要比这个时间晚一些：在格陵兰岛曾出土过一组**生物化石**（其中含有石墨等），它来自大约 37 亿年前的地层，但研究者并不能完全确定它与什么生物有关。澳大利亚西部还产出了 34.8 亿年前的海底"微生物垫"化石，那是海洋微生物和有机物沉积在海底后被压缩形成的薄薄的一层物质。由生命体直接形成的最古老的化石同样产自澳大利亚，来自 34.65 亿年前，上面印着纤维状的图案，通过分析其中的碳元素，科学家确认了这是由微生物

早期海洋中的各种生命

细胞形成的化石，十分罕见。

　　在生命出现的早期，它们保持着比较简单的细胞形态：没有完整的细胞核，DNA 松散地游荡在一个模糊的区域内。这些生命叫作**原核生物**，以细菌和古菌为代表。直到距今 20 亿年左右，拥有界线明确的完整细胞核的**真核生物**才正式出现。以此为开端，那些更加复杂的多细胞生物才终于慢慢演化成形。目前零星发现的早期多细胞生物包括海绵、真菌和珊瑚，它们在海底孤独地等待着，一直到 **5.42 亿年前**，地球骤然进入了一个生机勃勃的时代。

第四纪
258万年前至今

新近纪
2300万—258万年前

古近纪
6600万—2300万年前

   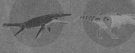

白垩纪
1.45亿—6600万年前

侏罗纪
2.01亿—1.45亿年前

  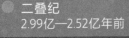

三叠纪
2.52亿—2.01亿年前

二叠纪
2.99亿—2.52亿年前

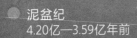 

石炭纪
3.59亿—2.99亿年前

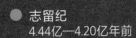  

泥盆纪
4.20亿—3.59亿年前

● 新生代

● 中生代

● 古生代

志留纪
4.44亿—4.20亿年前

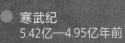 

奥陶纪
4.95亿—4.44亿年前

寒武纪
5.42亿—4.95亿年前

地层就是写满文字的书页

我们都知道，地球约 46 亿年前就诞生了，而人类出现的时间却很晚。研究人类历史，我们有文字和文物可以参考，但研究地球的历史，人类却没有任何文字可以借鉴。不过别担心，答案就在我们脚下。

由于地表的泥土等不断地**堆积**，新的沉积物不断压在旧的沉积物上面，变成了岩石，形成了一个个**地层**。对于大地这样一本特殊的"书"，地层就是它的"**书页**"，里面的岩石、化石就是书页中的"文字"，记录着地球曾经的风风雨雨。科学家做了大量工作，确定了各个地层的年代，按照时间顺序编制出了**地质年代表**，供人们定位生物和事件出现的时间。

而在这本时间跨度长达 46 亿年的大"书"里，人们主要研究的是从 5.42 亿年前以来的古生代、中生代、新生代三个时期。因为正是从那时候起，地球上的生命迎来了前所未有的大发展。

"岩石就是书啊！你看，这岩石一层一层的，不就像一册厚厚的书吗？"

—— 部编版小学语文课本，二年级（下）
《最大的"书"》

古生代：由海及陆

古生代的开端是 5.42 亿年前的**寒武纪大爆发**，从此地球上的生命开始了大发展，这可能与当时大气含氧量的持续升高有关。

最先发展起来的是**海生无脊椎动物**，其中最有代表性的就是种类繁多的三叶虫。在古生代，三叶虫不断演化，出现了更多奇特的样貌甚至新物种。与三叶虫相伴的，是菊石、鹦鹉螺和腕足动物，它们共同构成了丰富多彩的海底世界。

脊椎动物则经历了从无到有的过程。最先出现的是最早的原始鱼类**无颌鱼**，其头部没有上下颌，口像吸盘一样。在**泥盆纪**，鱼类经历了快速的演化，先是出现了**有颌鱼**，如庞然大物邓氏鱼；接着又很快出现了软骨鱼类（鲨鱼和鳐鱼）和硬骨鱼类（其他大多数鱼类）。在泥盆纪，硬骨鱼中的一支——肉鳍鱼登上陆地，成为两栖动物、四足动物的先祖。到**二叠纪**时，四足动物已经相当繁盛，爬行动物和哺乳动物的先祖都已初具雏形。

莱德利基三叶虫（莱德利基虫目 Redlichiida）

提塔利克鱼（*Tiktaalik*）
泥盆纪最著名的登陆鱼类。

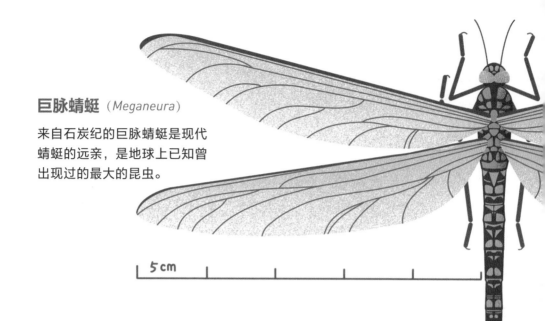

巨脉蜻蜓（*Meganeura*）

来自石炭纪的巨脉蜻蜓是现代
蜻蜓的远亲，是地球上已知曾
出现过的最大的昆虫。

5 cm

　　除了鱼类，其他很多生命也在向陆地发展。**植物**从海水
中的原始状态逐渐向陆生高等植物演化，并从滨海地带延伸
到了大陆腹地。从泥盆纪开始，苔藓、蕨、裸子植物等陆生
植物先后出现。在**石炭纪**开始出现了森林，大量的森林被埋藏后
就形成了煤炭，"石炭纪"也因此得名。无脊椎动物登陆的急先
锋则是**节肢动物**，它们大约在泥盆纪登陆，随后分化出了昆虫
和多足类，并迅速发展壮大。石炭纪是节肢动物的第一个黄金时
期，这个时候的氧气含量达到巅峰，翅展半米的巨脉蜻蜓、两米
多长的节胸马陆，都生活在这个时期。

　　但古生代的热闹场面在二叠纪末期戛然而止。一次原因未知
的大灭绝，造成 95% 的海洋物种和 70% 的陆地物种消失，三叶
虫更是彻底退出了历史舞台。

　　地球上的物种经历了这次大洗牌后，等待着在一个新的时代
重新焕发生机。

中生代：爬行时代

在二叠纪末的生物大灭绝之后，地球历史进入了**中生代**——一个由爬行动物统治陆海空的年代。

在中生代三叠纪中期，最早的**恐龙**出现了。而从 2.01 亿年前的**侏罗纪**开

沛温翼龙（*Preondactylus*）

生活在三叠纪，是早期翼龙的代表之一。

始，恐龙进入了全盛时期，一直持续到白垩纪的末尾。恐龙的种类繁多，大小形态、生活习性各不相同，大多是**陆地生物**。

在同时期的海洋和天空中，生活着其他名字中有"龙"但不是恐龙的爬行动物。海洋中先后出现了很多霸主，先是状如海豚的鱼龙，再是蛇颈龙和薄板龙，最后是白垩纪晚期体形庞大的沧龙。天空中飞行着翼龙，它们是比鸟类更早的天空统治者，庞大者如风神翼龙，站立时高达 6 米；小巧者如蛙嘴龙，身长只有 9 厘米。

除此之外，鳄、龟和蜥蜴也很繁盛，与"龙"家族共同撑起了爬行动物的黄金时代。

恐龙中有一个分支发展出了广阔的前景，那就是**兽脚类恐龙**。它们逐渐拥有了羽毛，前肢变化成翅膀，终于在侏罗纪晚期演化成了最早期的鸟。原始的哺乳动物在中生代前中期也逐渐出

异特龙（*Allosaurus*）

侏罗纪北美大陆上最重要的食肉恐龙。

现了，但在那个"龙"行天下的时代，它们没有多少发展空间。为了自身的安全，它们只能生活在地洞中，在夜间才敢偷偷出来觅食，属于它们的时代尚未到来。

在三叠纪和侏罗纪，银杏、苏铁、松柏等裸子植物成了地球上最主要的植被。而在白垩纪早期，**被子植物**——也就是开花植物出现了。这种更为先进的生命形式逐渐取代了裸子植物的地位，严重依存于植物的昆虫也随之迎来了跨越式的发展，甲虫、蝴蝶、蛾、蚊、蝇、蜂、蚁等**完全变态昆虫**占据了优势地位。

白垩纪末又发生了一次重大生物灭绝事件，主流观点认为它是**外星撞击地球**引起的。地球曾经的霸主恐龙在这一时期消失了，但它们那些披着羽毛的兽脚类分支后代却没有灭绝。与恐龙一同灭绝的还有在大海中生活了几亿年的菊石。种种迹象表明，一场新的**变革**又要发生了。

霸王龙（*Tyrannosaurus rex*）
霸王龙生活在白垩纪最末期，很可能灭绝于外星撞击事件。

三趾马（*Hipparion*）

三趾马生活在新生代新近纪，代表着原始马向现代马演化的一个过渡状态。

新生代：恒温乐园

中生代白垩纪结束后，地球进入了**新生代**古近纪，海陆分布和动植物类群渐渐接近今天了。从古近纪开端到新近纪末期，气温虽然整体在下降，但仍然比现在**炎热**得多，被子植物迎来了空前的发展，地球上形成了茂密的森林和辽阔的草原，为哺乳动物的大发展创造了条件。

哺乳动物在不同的温度下也能保持体温恒定，这使得它们既可以生活在炎热的沙漠，也可以出现在寒冷的北极。现生兽类的**祖先**基本在新生代出现，不过它们演化出了很多奇特的模样，跟现代亲戚不同。比如约 900 万年前生活在北美洲的板齿象，拥有铲子一样的下巴和下门牙。还有一些现代哺乳动物的早期远亲不幸灭绝了，它们的样子就更加千奇百怪。比如鼻子上顶着"V"形角的雷兽，与它亲缘关系最

龙王鲸（*Basilosaurus*）
生活在古近纪的早期鲸类。

近的现代动物竟然是马；而状似面目狰狞的巨型野猪的豨，反倒更接近河马与鲸的祖先。

大约 258 万年前，新近纪结束，地球进入了**第四纪**，也就是我们如今所处的地质时代。剑齿虎和猛犸象生存的"第四纪大冰期"也在第四纪，这时期全球气温总体偏低，冰期和间冰期不断交替出现：**冰期**时气候寒冷，冰川大规模发育；**间冰期**时气候变暖，冰川消退。最近一次冰期（末次冰期）在 1 万年前刚刚结束，我们生活的现在就处在间冰期当中。

人类也是在第四纪出现的。早期的人类物种包括能人、直立人、早期智人等，而我们晚期智人则在 10 万年前左右出现。智人的发展最开始非常缓慢，但正是在 1 万年前左右，冰期结束，气候转暖，人类文明终于走上了"快车道"，发展到了现在的辉煌。

猛犸象（*Mammuthus*）

猛犸象直到约 1 万年前才彻底灭绝。

蜘蛛刚扑过去，突然发生了一件可怕的事情。一大滴松脂从树上滴下来，刚好落在树干上，把苍蝇和蜘蛛一齐包在里头。

—— 部编版小学语文课本，四年级（下）

《琥珀》

化石

　　化石是人类研究古代生物的重要证据，也是研究地质历史和板块变迁最重要的参考材料之一。从本质上讲，化石是各个时期地层形成过程的副产物，包括地球表面的沉积物积累下来时顺带埋藏的**生物遗体**，也包括粪便、脚印这样的**遗物和遗迹**。地球生命的历史有几十亿年，如果所有生物都被通通埋进去，想来地层中应该充满了化石才对。但事实并非如此，这是因为化石的形成条件非常苛刻。

掩埋与呵护

　　先说说**化石**是怎样形成的。以动物的石化化石为例，它的关键在于一只动物死于何地。大多数动物的遗体之所以保留不下来，常常是因为，如果一只动物死在了陆地上，它的尸体很可能被其他动物分食殆尽，并且被扯得四分五裂。剩下的白骨则暴露在旷野中遭受风吹日晒，太阳的紫外线、氧气的氧化作用、风里裹挟的砂石……都会一点点地将它磨损，让它最终归于尘土。

　　但如果一只动物的尸体因为某种原因恰好进入了水中，情况就完全不一样了。它会沉入水底，在皮肉等软体部分被

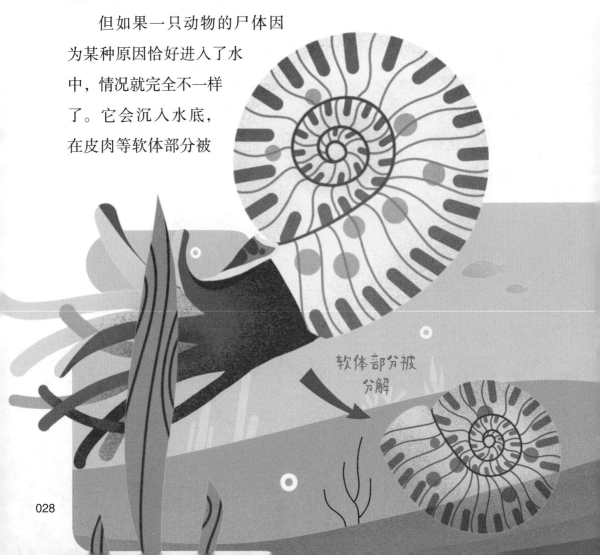

软体部分被
分解

分解后，硬体部分被沉积物迅速掩埋。地球表面的沉积物分布是不均匀的，裸地表面的土壤很容易被风吹来吹去，落不下来，只有被吹到水面上时，它才会被水吸附并沉入水底。因此，水体中的沉积物比较多，能够很快地掩埋骨架。在这个过程中，骨架不会被风吹日晒，水中的氧气也远远少于空气中，于是骨架早在被破坏之前就被完好地埋藏到**沉积物**中，彻底隔绝了氧气，不再继续分解。大多数时候，水是化石形成的**必要条件**，这就是人类发现的水生动物化石远远比陆生动物化石要多的原因所在。

时光流转，沉积物层层压实，最终在压力的作用下成了各个地质年代的**沉积岩层**。沉积岩中的动物骨架则不断与周遭的岩石发生**物质交换**，骨骼中的有机物逐渐被岩石中的矿物填充代替，最终原有结构内的物质都变成了石头，这个过程通常需要**几万年**。化石由此形成，它们静静地躺在地底深处，等待着某个偶然的机会重见天日。

被矿物质填充代替

彻底掩埋

包裹与硬化

琥珀由史前植物树脂石化而成。琥珀化石的形成是另一个故事。一些树木在茎干受到伤害时分泌出液体物质——树脂，它在流出后会缓缓凝固，将伤口封好，防止害虫和病菌侵入，这种现象直到今天我们也能看到。在远古时代，如果一块树脂碰巧落在水里，水的保护可以防止树脂风化，沉积物埋藏的压力则使树脂中的小分子聚合成大分子，并且发生硬化，最终就形成了琥珀。有时，树脂在滴落的过程中会将一些倒霉的小动物包裹进去，多是昆虫和蜘蛛，偶尔也有蛙、螃蟹、小蜥蜴这样的"大"家伙。这样的琥珀俗称**虫珀**，由于透光性好，能够清晰地观察到里面的生物结构，它是古生物学家在研究昆虫等小动物时非常喜爱的材料。

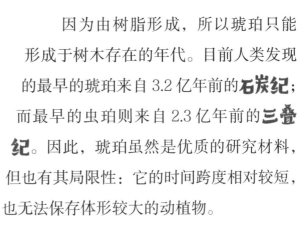

因为由树脂形成，所以琥珀只能形成于树木存在的年代。目前人类发现的最早的琥珀来自 3.2 亿年前的**石炭纪**；而最早的虫珀则来自 2.3 亿年前的**三叠纪**。因此，琥珀虽然是优质的研究材料，但也有其局限性：它的时间跨度相对较短，也无法保存体形较大的动植物。

在比较普遍的认知里，琥珀来自松树或柏树的树脂，事实并不尽然，有好几类树木的树脂耐腐蚀，不易降解，易于形成琥珀。约 1 亿年前的**缅甸琥珀**，由南洋杉类植物的树脂形成；约 2500 万年前的**多米尼加琥珀**，来自孪叶豆的树脂；全世界产量最多，约 4400 万年前的**波罗的海琥珀**，由金松树脂形成，这是松柏的一个远亲；而 5580 万到 4860 万年前，产自中国抚顺的琥珀，才是由柏树树脂形成的。

发掘与研究

在地上随便捡块石头，或者在任意一座小山上挖来挖去，得到化石的机会是**微乎其微**的。化石得见天日，多半是因为人类在采石、开矿、修路时开凿山体，暴露了岩层；少数时候，流水侵蚀、冰川运动和风化作用也能使含有化石的岩层**露出地面**。由于化石基本是集中在水里形成的，所以某个地方一旦发现化石，通常会有更多的化石陆续现世，成为化石产地。

一个典型的**化石产地**挖掘现场是这样的：山脚边散落着被炸药炸碎，或者工程车击碎的岩石碎片；三三两两的挖掘者蹲在那里，用地质锤敲击着一块块岩板。虽然从外面看不出来，但含有化石的岩板就像夹着书签的书本，照着侧面一锤下去，敲开之后，将岩板一分两半，一边承载着生物的身体，另一边印着它的痕迹，这就是典型的**对开板**。当然，像恐龙这样的大动物不在此列，它们是仍然需要从地里往外挖的。刚敲开的化石还不是很完美，生物体的很多特征仍然被岩石所覆盖，这时就需要用小凿子、小毛刷等工具小心翼翼地修理，去除多余的岩石，让生物体尽量暴露出来。

虫珀在刚出土时往往是囫囵个儿的大块，外面包着一层粗糙的硬皮，看不清里面有什么。人们的处理办法是用砂轮和砂纸仔

细打磨，一方面磨去多余部分，形成圆润的形状，并让里面的小动物尽量贴近表面；另一方面给表面抛光，让琥珀尽量透明。这样一来，虫珀就便于观察了。

做好了一切准备，科学家将对化石进行观察和研究。通过与现代生物和其他古生物的**比较**，化石向我们展示了现代生物的古代祖先的样貌，在**追溯演化历史**的过程中补齐了缺失环节，让生命演变的过程更加完整、清晰。而通过比较不同地区同一时期的化石，我们能够推测两块大陆在当时是否连在一起，实际上，**地球板块漂移**的过程很大程度上就是通过比较两地化石物种的相似性来还原的。

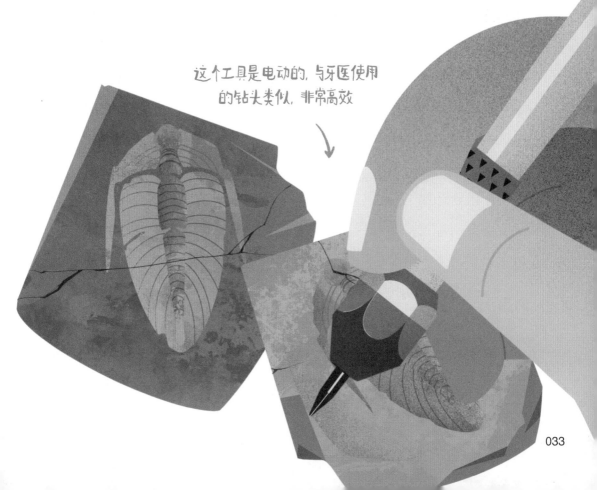

这个工具是电动的，与牙医使用的钻头类似，非常高效

地球的板块漂移史

你相信吗？此时你脚下的大地正悄悄运动着，或许你正在慢慢向北极靠近！

这就是**大陆板块**的运动。在日常生活中，我们很少有机会能够明显地感受到板块的运动，但它却真实地存在着。它让地球上的陆地形状和位置不断变迁，让原本连在一起的陆地分裂，也让原本分离的陆地相遇。今天的地球岩石圈可分为六大板块，它们有大有小，大的还可以细分出更多的次一级板块，这种格局正是**板块运动**的结果。

板块运动的副产物是地震、火山等**地质活动**，它们很可怕，但恰恰是这些地质活动使得地球的环境更加宜居。因为它将地球的内部热量缓慢地释放出来，所以才有了现今比较温暖、适宜生命生存的地表环境。

20世纪初的一天，因病住院的德国气象学家魏格纳正无聊地看着墙上的世界地图，突然发现南美洲东海岸的凸出部分与非洲西海岸的凹陷部分，竟然不可思议地互相吻合！魏格纳被自己偶然的发现惊呆了。这不会是一种巧合吧？他将地图上的一块块陆地作了比较，结果发现，从海岸线的情形看，地球上所有的大陆都能较好地吻合在一起。

—— 部编版小学语文课本，六年级（下）

《真理诞生于一百个问号之后》

漂移的动力

　　板块之所以会运动，秘密就在它下面的软流圈里。在地球的海底有一条横贯四大洋的超长山脉，叫作**洋中脊**，那里是地壳的薄弱环节，软流层中的岩浆不断从这里的海底火山涌出，接触海水后冷却成为岩石。这些新生的岩石使得海洋地壳不断生长，推动着洋中脊两侧的地层不断向外扩张，平均每年移动5~9厘米。一些观点认为，这种力量是**板块运动**的主要动力。

　　在海洋地壳与大陆地壳的交界处，由于海洋地壳不断生长，它的边缘朝大陆地壳的下面俯冲，形成**海沟**，俯冲进入软流层的部分则将被重新熔化成为岩浆。洋中脊这样不断生成新地壳的

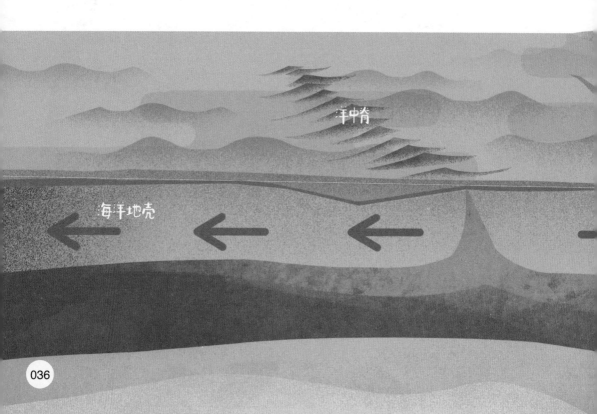

位置被称为**生长边界**，海沟等不断有老地壳消亡的位置被称为消亡边界。

在这种力量的推动下，板块不断运动，这使得陆地时而聚在一起，时而又分开。在 46 亿年的地球历史上，很可能出现过 6 次聚在一起的**超级大陆**，其中距现在最近的一次是 2.52 亿年前形成的**泛大陆**，又称联合古陆。从联合古陆身上，我们能够看到当今的几大洲的雏形，它最终解体成了今天的模样，也造就了今天的生物分布格局。

从泛大陆到七大洲

25亿年前

最初的**泛大陆**，就像一个向东张开大嘴的狮子头，狮子嘴里面是**特提斯海**，向东连通着被称作**泛大洋**的超级大洋。南美洲、北美洲、欧亚大陆和非洲这四块最大的陆地紧紧地连在一起。当时，现今的阿拉伯半岛还是非洲板块的一部分；印度板块则位于南半球，夹在非洲与南极洲之间——它本来不是亚洲的一部分。

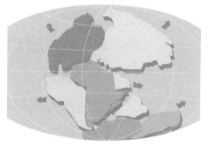

2亿年前

从三叠纪开始，泛大陆逐渐分裂成了南北两大古陆，位于北半球的**劳亚古陆**由几乎整个北美洲、欧洲亚洲的大部分构成，而位于南半球的**冈瓦纳古陆**则由非洲、南美洲、南极洲、澳

1.45亿年前

大利亚和阿拉伯半岛、印度半岛等构成。非洲陆块的东北角向欧亚大陆靠近，使得特提斯海的面积被显著压缩。等到2亿年前的**三叠纪末**，南美洲与北美洲已完全分开，**加勒比海**的雏形在它们之间形成；冈瓦纳古陆与劳亚古陆之间只剩下一处相连，大概位于今天的西班牙和摩洛哥附近。

侏罗纪和白垩纪期间，最主要的变化就是冈瓦纳古陆的分解。先是印度脱离非洲，逐渐向北漂移；接着南美洲也开始与非

6500 万年前

今天的世界

- 今天的欧亚大陆
- 今天的北美洲
- 今天的非洲
- 今天的南美洲
- 今天的大洋洲
- 今天的南极洲

洲分离，广阔的**大西洋**开始在两块大陆之间形成；非洲的东北角与欧亚大陆靠得更近了，特提斯海几乎变成了两块大陆之间的内海。

新生代之后的一系列变化，最终造就了今天的世界。澳大利亚与南极洲**迅速分离**，漂到了今天的位置。在大西洋不断拓宽的作用下，长期相连的北美洲与欧亚板块也终于分开。有趣的是，北美洲板块原本是东侧与欧洲相连，但在分离之后，北美洲的西侧又与亚洲的东侧发生了接触，这个接触点就是狭窄的**白令海峡**。在第四纪大冰期中，白令海峡封冻，两侧的动植物便可以往来交流和扩散。**长期的接触**使得北美洲与欧亚大陆的动植物非常相似。非洲的东北角正式与欧亚陆块相连，使得特提斯海变成了今天的地中海；东北角同时开始与非洲主体**分裂**，那条裂缝就是红海，分裂出的部分就是阿拉伯半岛。最大的改变来自印度陆块，其一路向北，最终与欧亚陆块碰撞并融合，形成了欧亚大陆的一个"**外来户**"——南亚次大陆。这次碰撞带来的影响十分深远，青藏高原就是因为它而隆起的，中国西高东低的整体地势由此形成。

第 2 章
一滴水的旅行

　　水是自然界**最活跃**的物质之一，也是地球上的一切生命得以存在的必要条件。水的旅行，不但使得陆地淡水不断更新；还推动着自然界的物质运动，塑造了千姿百态的地表外观。

　　在下面的故事里，我们将认识江河湖海，了解**水循环**，理解各种降水现象的成因，看看一滴水是怎样影响地球万物的。

故人西辞黄鹤楼，烟花三月下扬州。
孤帆远影碧空尽，唯见长江天际流。

—— 部编版小学语文课本，五年级（下）
《黄鹤楼送孟浩然之广陵》

河流是如何出现的?

在地球的**水循环**中，最重要的一个环节是河流。它们一路奔向大海或者湖泊，滋养着沿途的生命，让无数文明的诞生成为可能。每一次干枯，每一次泛滥，河流都深刻地影响着周边的**生态环境**，左右着所有生命的生死存亡。但即使是长江这样雄伟的大河，也终是来自点滴之水的源头，它们究竟是如何从无到有，最终形成的呢?

河床的形成

　　大多数河流形成的第一个步骤是**降雨**。俗话说"水往低处流"，雨水落在山坡或有一定坡度的高地上，自然就会沿着斜坡往下流，形成斜坡面上的水流；斜坡面上分布着很多天然的沟壑或是低洼地带，水在流动的过程中会自然而然地汇入其中，这使得水流量增大，流速加快，增大了冲刷的力量。一次次的降水，一次次的冲刷，使得这些低洼地带逐渐加深、扩大，从而形成纵横的沟槽，地质学家把这些沟槽称为**冲沟**。这便是河道最初的雏形了。

　　接下来，水的侵蚀作用会让冲沟继续变深、变长、变宽。冲沟中的水不断向下冲刷，加深水道，形成峡谷，这是河流侵蚀作用中的第一种，即**下蚀**，主要发生在河道的上游。与此同时，在位置较高的那一端，冲沟里的土石也会连带着被一点点剥蚀，使得冲沟不断地反向延伸到河流真正的高山源头，让冲沟越来越

河流的中下游往往
在平原地区

长，这是第二种侵蚀作用——**溯源侵蚀**。第三种侵蚀作用叫作
侧蚀，发生在中下游，它向两侧冲刷，让河道逐渐变宽，因此
河流的形态是从源头至终点越来越宽。

　　随着冲沟的不断扩大，它最终接通了其他一些水分补充的来
源，比如当深度发展到地下水所在的位置时，地下水就成了它的
水分补充来源之一；当上游逐渐侵蚀到冰川时，冰川融水也会加
入河流的水分来源。当冲沟获得了比较持续稳定的**水分来源**时，
一种新的地貌便诞生了，这就是河流。

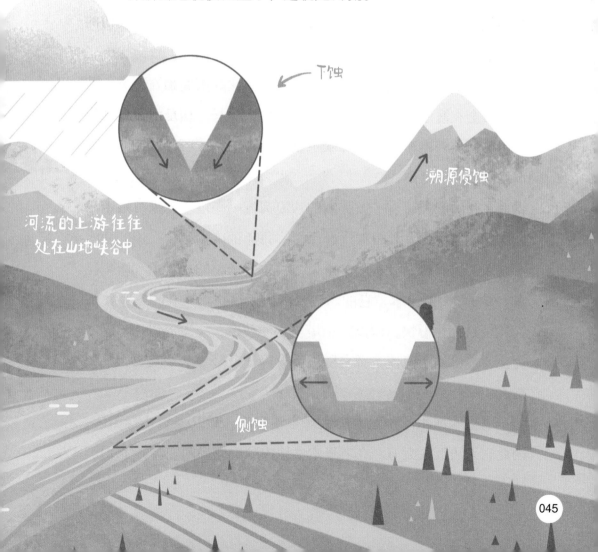

下蚀

溯源侵蚀

河流的上游往往
处在山地峡谷中

侧蚀

水从何来？

那么，河流的水都来自哪里呢？这些水叫作河流的**补给**。不同的河流补给不同，各个季节的水量变化也不相同，最后流向的终点也不同。

在热带、亚热带和温带地区，大多数河流的主要补给是**雨水**。流域沿线的年降雨量很大程度上决定了这条河流的每年流量，而雨季的到来则会让这条河流的水量暴涨，我们的长江就是其中一个典型。长江发源于青藏高原上唐古拉山脉的冰川，但冰川融水只占它补给的一小部分，决定长江水流量的是**降雨**。由于长江流经的主要地区属于亚热带季风气候，降雨集中在夏季，所以长江会在夏季涨水，甚至形成洪涝灾害。与之相反的是地中海沿岸的河流，由于那里的降水主要集中在冬季，所以冬季才是它们水位最高的时候。

在我国新疆，有一条美丽的沙漠河流——塔里木河。塔里木河所在的塔里木盆地气候十分干旱，每年的降雨很少，因此雨水对这条河的补给十分有限。塔里木河主要依赖的是天山和喀喇昆仑山脉的**冰川融水**，它的水流量取决于冰川的融化速度。冰川当然是夏天化得快，所以包括塔里木河在内，全世界以冰川融水为主要补给的河流流量都是随温度升降而升降，一般在夏季达到最大。

塔里木河水量不足，离大海很遥远，又被几条大山脉阻隔，因此它无法汇入大海。在塔里木盆地中顺着地势兜兜转转了2137

千米之后，它最终流入了台特玛湖。不过这也不是一成不变的，因为塔里木河的流量变化很大，于是它的终点也会随之变化。如果某年气温高，冰川融水多，塔里木河就会流得比台特玛湖远一点，但总归流不进大海就是了。像这样无法汇入大海的河流，被我们称为**内流河**。

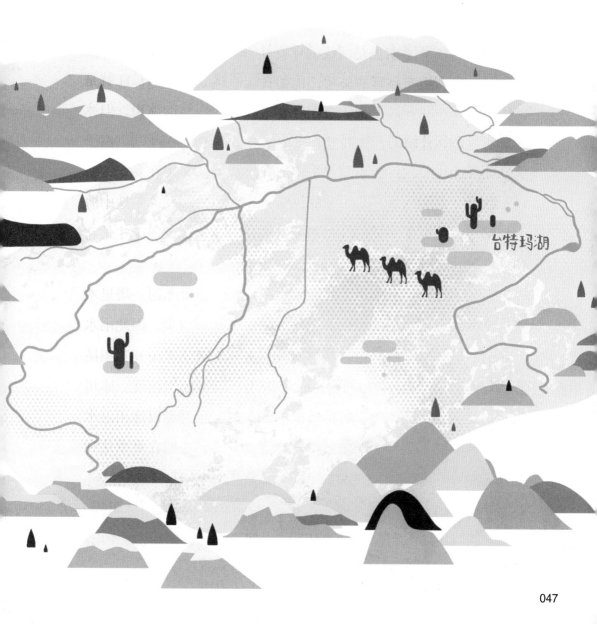

台特玛湖

在海拔不高但是冬季特别寒冷的地区，冬季积累的冰雪在春季融化时，会对河流形成一次明显的补充，这叫作**季节性积雪融水补给**。最为典型的是我国东北地区的河流，比如黑龙江、松花江，大量的积雪融化时，有时甚至会引发洪水。再加上温带季风性气候引发的夏季降雨，东北地区的河流每年会出现两个汛期，也就是**春汛和夏汛**。

湖泊和沼泽水也是河流的重要补给。湖泊、沼泽水和河流水之间存在着相互补给的关系，比如长江流域的洞庭湖、鄱阳湖

冰川融水

降雨

等湖泊，在夏季，长江处于丰水期，河流水位较高，长江水会流入湖泊，湖泊起到调蓄洪水的作用；在冬季，长江处于枯水期，河流水位较低，湖泊水又会流入长江，补充长江的流量。

类似地，因为自然的河道底部通常连接着地下水，所以大多数河流与地下水之间也会进行交互补充。不过也有例外，比如黄河下游河段，泥沙沉积，河床抬升，使得黄河成为"**地上河**"，所以在这里，只有河流水下渗补给地下水，而不存在地下水向上倒流补给河流水的情况。

湖泊

百川入江

我们知道，有很多河流既没有止步于内陆，也没有最终流入大海，而是汇入了一条更大的河流，它们被称为这条更大的河流的**支流**。还是以长江为例，从发源于唐古拉山脉冰川的沱沱河，到在四川和云南群山峡谷中奔流的长江上游金沙江，再到后面最终入海的长江中下游，这一整条主干被我们称为长江的**干流**。一

些直接汇入长江干流的河流，比如嘉陵江、汉江、岷江等，就是长江的一级支流；一级支流又有自己的支流，红军长征中历经千难万险强渡的大渡河，就是岷江最大的一条支流。于是我们说，大渡河是长江的二级支流。

依此类推，层层分级，无数的溪流、小河、支流最终汇聚成了大江大河，也形成了今天地球上河流丰富的水系形态。从人造卫星的高度向下望去，有的像扇子，有的像羽毛，有的像格子，有的像树枝……众多河流在大地上刻画出了千姿百态的美丽画卷。

日月潭很深，湖水碧绿。湖中央有个美丽的小岛，把湖水分成两半，北边像圆圆的太阳，叫日潭；南边像弯弯的月亮，叫月潭。

—— 部编版小学语文课本，二年级（上）
《日月潭》

湖泊的形成

　　如果说河流是水的运输线，那么湖泊就是水的**储存池**。湖泊是由陆地上的洼地积水形成的，俯瞰大地，湖泊就像镶嵌在地面上的一颗颗明珠。中国大地上，这样的明珠有两万四千多颗，它们大小不一、形状各异，从高山到平原，从沿海到内陆，皆有分布。只要地面上形成了一个**大洼地**，它就有机会蓄水，从而形成湖泊。这些大洼地是怎么形成的，它们的水又是从哪儿来的呢？这就是我们接下来要探讨的内容了。

只要能盛水：一些湖泊类型

湖泊形成的原因有很多，但是归根结底，只要能在地面上创造一个盛水的"盆"就行。比如说：

河流被泥沙淤塞或改道，会形成**河成湖**，比如山东西南部的微山湖。

海水携带的泥沙淤塞海湾，围住一片海水，会形成**潟湖**，比如广东的品清湖。

冰川运动使沿途的岩石和土地受到侵蚀，形成洼地，成为小而美的**冰川湖**，新疆、青藏高原和西南地区其他的高山顶上，有很多这样的小湖泊。

就算在沙漠里，因风力堆积起的众多沙丘包围起来的一片洼

地，也可能在地下水和降水的补给下形成**风成湖**，比如甘肃敦煌的月牙泉。

　　凡此种种，仍然未能尽数湖泊的全部成因。湖泊是地球的水循环中非常重要的一环，它不但滋养了无数生命，更是陆地上的"**水银行**"，当降水减少导致河流变浅甚至干涸时，正是湖泊中存蓄的水，为四周的生命解了燃眉之急。

甘肃敦煌的月牙泉

板块的力量

最常见的湖泊类型叫作**构造湖**，它源自因板块运动而形成的大小盆地。中国的陆地板块结构很复杂，地质构造活动频繁，岩层断裂后产生的下陷或者裂口形成盆地，天然沉积的泥土填埋

日潭

光华岛

月潭

进去形成底床，而在降水、河流、冰川融水、地下水的补给下，盆地被灌满了水，就形成了构造湖。构造湖有着十分鲜明的特点：湖岸陡峭，水深且清澈，因此常常成为旅游胜地。我国宝岛台湾的"明珠"**日月潭**，就是一个典型的例子。

中国台湾位于**欧亚板块**最东南角的边界，紧邻着东南方向的菲律宾海板块。从大约 1000 万年前开始，菲律宾海板块就逐渐地向欧亚板块挤压过来，**强烈的挤压**让首当其冲的台湾岛上隆起了很多条**褶皱**，形成了许多南北走向、东西排列的山脉，也就是如今占据台湾大部分面积的中部和东部群山了。

板块挤压的同时也使台湾岛的岩层出现了许多断裂，正是这些断层的后续发展，让台湾的群山之中形成了很多构造湖，日月潭就是其中最大的那个。日月潭由玉山和阿里山之间的**断裂盆地**积水形成，湖中有一个小岛，名叫光华岛，远远看去好像浮在水面上的一颗珠子。以光华岛为界，北半湖形状如**圆日**，南半湖形状如**弯月**，日月潭因此而得名。天然状态下，日月潭的湖水面积为 5.5 平方千米，平均水深约为 4 米。但如今的日月潭周围修筑了几条水坝，使它的平均水深提升到了 40 多米，水域面积达到了 700 多公顷，与曾经的日月形状相比，它已经变得更像一片枫叶了。

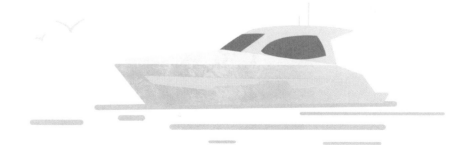

火山神力

　　修筑堤坝，是人类用来创造人工湖或者改造天然湖泊的手段。而在自然界中，一些天然形成的"堤坝"，也会创造出湖泊。火山喷发时的岩浆、地震引起的山崩、冰川运动及泥石流引起的滑坡体等，都有可能阻塞河床、截断水流，让上游河段积水，形成湖泊，我们称之为**堰塞湖**。

五大连池

　　中国最典型的堰塞湖是**五大连池**，位于黑龙江省西北部的五大连池市。东北地区分布着中国数量最多的火山，它们深刻地影响了当地的地貌、土壤和水文。五大连池的形成不是久远的地质历史，而是人类亲眼见证过的事实。1719 年，当地相邻的两座火山——老黑山和火烧山同时喷发，炽热的**岩浆**从火山口向四面八方流下，其中好几股侵入了火山东侧的白河。岩浆遇水迅速冷却，形成一道坚固的**天然水坝**，截断了河流，多处的阻塞最终造就了五个连续的火山堰塞湖。

　　火山不仅能通过岩浆堰塞河流来

长白山天池

形成湖泊，而且它本身就是一个湖泊形成的好场所。当一个火山**停止喷发**，进入休眠后，火山口会因冷却而缩成碗状，成为一个天然的**蓄水池**，只要水源足够，就可能形成**火山口湖**。吉林的长白山天池就是非常典型的火山口湖，它坐落于长白山山脉中一座海拔 2100 多米的火山峰顶。在 1199 年至 1201 年之间，这座火山剧烈爆发，这次爆发将火山口撑得很大；火山休眠后，周边山峰的冰川积雪融水和夏季降水汇入火山口，便形成了湖泊。由于火山口很深，长白山**天池**也成了中国最深的湖泊，最深处有 373 米。水量充沛时，湖水会从火山口北侧的一个缺口泄出，形成著名的**长白山瀑布**，这些水最终汇入了东北大地的母亲河——松花江。

这里是长白山瀑布

滴水穿石

从化学性质上来说，碳酸盐是一类不太稳定的物质，当它们持续浸泡在水中时，就会被水慢慢溶蚀。事不凑巧，很多地区的岩石就是由碳酸盐构成的，在碳酸盐岩分布的地区，**"水滴石穿"**的故事每天都在发生：流水持续溶蚀大地里的碳酸盐岩，形成各种洼地、"漏斗"、落水洞，这就是著名的喀斯特地貌。通常情况下，水会从落水洞口流走，但如果岩层坍塌或外物进入，堵住落

落水洞口

地下溶洞

水洞口，这些洼地就可能储水形成**喀斯特湖**，也叫**岩溶湖**。但泄水口有时堵得不严，所以有些喀斯特湖的湖底有时会漏水，就像正在放水的浴缸一样，在湖面上形成漏斗形的漩涡。

　　喀斯特湖的形成具有很大的突发性和偶然性。比如贵州第一大湖——草海的形成，是因为 1857 年 7 到 8 月，连续的降雨引发了洪水，洪水裹挟着大量砂石草木倾泻而下，这些砂石草木堵住了古湖盆中的落水洞口，从而**积水成湖**。而在中国的西南地区，由于喀斯特地貌广泛分布，这样的湖还有很多。

喀斯特湖

不久，大海连同船只，天空连同太阳，海岸连同城市，街道连同房屋和桥梁，都露出来了。路上走着行人。小黑猫也出现了，它摇着黑尾巴，悠闲地散步。

雾呢？消失了，不知到哪里去了。

—— 部编版小学语文课本，二年级（上）

《雾在哪里》

飞向天空的水

地表的水以溪流和江河的形态奔流，最终汇入湖泊和海洋。接下来它们该去向哪里？湖泊与海洋只是水在地面上的终点，水循环的进程还没有结束，需要继续前进。水的下一个目的地，是天空。

水飞向天空，靠的是水体的自然蒸发和植物叶片的蒸腾作用。在所有变成水蒸气进入空气的水中，大约86%来自海洋表面的蒸发，10%来自陆地植物叶片的蒸腾作用，4%来自江河、湖泊等陆地水体的蒸发。

无论哪种来源，这些水蒸气最终都将重新凝结成飘在空中的水，等待着落到地面，重新回到地球水循环的开端。要判断水蒸气是否凝结成了水"汽"，非常简单：只要无色透明、肉眼看不见，就是水蒸气；而当水蒸气凝结成微小的水滴飘在空中，它就是白色的，比如蒸锅上冒出来的水汽，还有自然界中天然形成的云和雾。

层云

积云

天上的云彩

从变成水蒸气的那一刻起，水就会自动飞向更高的地方。水蒸气在空气中越升越高，来到一定高度之后，由于那里的空气温度较低，水蒸气遇冷便**凝结**成微小水滴，甚至结成小冰晶，这些东西聚在一起，便成了云朵。

最常见的云，是像棉花糖一样的**积云**。当高空中的冷空气较多，并且向下沉降时，这种云就会出现。地表的空气被太阳晒热后，与水蒸气一起向天空中升去，就形成了**对流**。冷空气像一块被拳头打中的布，顺势包裹住了"拳头"。这种包裹作用让热空气和水蒸气无法散开，聚成了一个**馒头形**的暖湿气团。由于冷空气在冲击后向四周散开，暖湿气团的上方呈圆弧形；而由于下方有热空气托举，气团的下面是平坦的。气团继续上升，它的

积雨云

上方不断有水蒸气凝结，云团就开始形成了。水蒸气凝结的过程要释放热量，这些热量不断加热气团，让它继续**攀升**，直到里面的水蒸气大部分凝结，形成团状、底部平坦的积云。

当然，还有其他一些情况。当上升暖空气和下降冷空气的对流不是很明显时，上升的暖空气和水蒸气就不会被包裹而形成气团，也就不会形成团状的积云。水蒸气会**均匀而平稳**地上升到一定高度，在那里形成扁平的**层云**，像天空中飘浮的棉被；或者上升到很高的高空，形成碎棉絮形状的**卷云**。另一方面，如果遇上冷暖空气对流更加剧烈的天气，巨大的暖湿气团就会直冲九霄，形成山峰状的**积雨云**，引发雷电、暴雨等恶劣天气，具体什么样，后文再说。

有云便有雾，本质上，它们都是悬浮在空气中的微小水滴。相对于飘在天上的云，在近地面的空气中凝结的水汽被称为"雾"，很多人认为雾就是地面上形成的层云。空气中的水蒸气浓度达到饱和就会凝结，原因有两个：一是由于**蒸发和蒸腾作用**，大气中的水蒸气浓度增加；二是由于空气自身的**冷却**——温度下降，承载水蒸气的能力下降。对于雾的形成来说，"冷却"发挥着更重要的作用。

最常见的一种雾是**辐射雾**，它均匀地笼罩在大地上，让人看不清四周。所谓"辐射"，其实就是散热，因为物体是通过向外辐射红外线的方式来散热的。在晴朗、几乎无风、水蒸气比较充沛的夜间或早晨，天空无云遮挡，地面热量迅速向外辐射出去，近地面层的空气温度迅速下降，空气中的水蒸气会很快达到饱和而凝结成雾。随着太阳升起、地面温度上升，辐射雾很容易消失。这种情况常常预示着好天气，**"十雾九晴"**的民谚说的就是这个道理。

还有一种雾叫蒸汽雾，比如北大西洋上有一股强大的暖洋流，从墨西哥湾流到寒冷的北欧沿海，暖流中的水刚一蒸发，立刻便遇到冷空气而凝结，形成了北欧海面上大规模的蒸汽雾。蒸汽雾也会出现在中国北方的很多地区，由于水降温的速度比陆地慢，所以夜间的水体温度比陆地高，这时，当陆地上的冷风吹到湖面上，刚刚蒸发的水蒸气也会凝结成雾，太阳初升时，这些尚未散去的雾如梦似幻。

还有的时候，当暖湿空气被风吹动后形成水平移动的暖湿气流，来到寒冷的地方时，也会形成雾，这叫作**平流雾**。杭州的春季阴雨连绵，每次下雨，空气中的水蒸气便会达到饱和，当这些相对温暖的水蒸气来到比较寒冷的西湖湖面上时，就会凝结成雾，笼罩在西湖上方，形成著名的"**雾西湖**"奇景。若是遇到山区，暖湿气流就难以水平移动了，它们不得不沿山体爬坡，来到比较寒冷的高处，凝结成雾，这就是**上坡雾**。山中之所以一下雨就云雾缭绕，就是这个原因。

无论哪种原因形成的雾，它们都不会脱离地面，太阳一出来，就都重新化为水蒸气飘上天空了。雾不会造成降水，它只是水汽的一个临时存在形式。要让水从天而降，完成地球水循环的整个闭环，还是得看云的发挥。

雾西湖的美景.

水的降落方式

无论天空中的水蒸气以何种形式存在，最终都将凝结成水，重新降落回地面的江河湖海中。如此周而复始，这就是地球的**水循环**。

降水的原理其实很简单：当云中的水太多、太重时，空气托不住了，水自然就要从天上掉下来。具体来说，这需要云朵中有充足的**水蒸气**；需要气温降低或者气流上升，让空气中的水蒸气达到**饱和**状态；还需要有足够的**凝结核**，也就是空气中飘浮的固体杂质和微粒，它的作用是让水汽集中附着在上面，聚成水滴。

云中的那些微小水滴叫作**云滴**，越大的云滴会越倾向于下沉，并在途中撞上较小的云滴。在不均匀的上升气流的作用下，云滴在不断的震荡中逐渐**融合**，变得越来越大，最终成为雨滴。它可能是由数百万个云滴聚成的。上升气流托不住雨滴，雨滴落下来，就形成了最常见的降水形式——**降雨**。

数不清的雨点儿，从云彩里飘落下来。

—— 部编版小学语文课本，一年级（上）
《雨点儿》

雨和雪

在人口稠密的平原地区，最常见的雨叫作**锋面雨**，它是冷暖气团在水平方向上相向而行的结果。比如说，有一股冷空气正在低空中贴着地面向南移动，而一股暖湿空气正在同样的高度向北移动，它们就会在某个地方相遇。相遇之时，由于冷气团重，它会继续贴着地面移动，同时像铲子铲土一样，将暖湿气团推向更高的空中。冷暖气团交界处，在气象学上被称为锋面，"锋面雨"因此得名。在冷气团和爬升的双重作用下，锋面上迅速形成了一层遮天蔽日的**雨层云**，随即开始降雨。

这就是锋面

冷空气

锋面雨很好判断：乌云遮满天空，雨势比较均匀，几乎不打雷。这不正是日常下雨的标配吗？

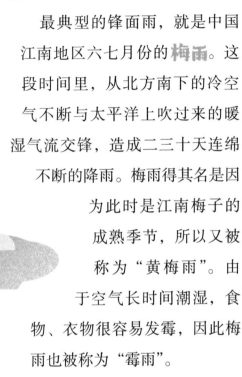

　　最典型的锋面雨，就是中国江南地区六七月份的梅雨。这段时间里，从北方南下的冷空气不断与太平洋上吹过来的暖湿气流交锋，造成二三十天连绵不断的降雨。梅雨得其名是因为此时是江南梅子的成熟季节，所以又被称为"黄梅雨"。由于空气长时间潮湿，食物、衣物很容易发霉，因此梅雨也被称为"霉雨"。

暖湿气流

说到底，降雨的根本原因是暖湿空气被迅速抬升。完成这个任务的可以是冷气团，也可以是地形，比如一条高耸入云的山脉。当暖湿气团水平移动遇到山脉时，它同样会沿着山脉的地形爬坡，来到高处后冷凝而形成降雨，这种雨被称为**地形雨**。

　　我国新疆大部分地区非常干旱，只有**伊犁河谷**等少数地方水草丰美，这正是得益于地形雨。伊犁河谷北有博罗科努山，南有天山，两条大山脉在伊犁以东交会，夹成了一个开口朝西的三角形大河谷。新疆地处内陆深处，离它最近的大水体是西边的里海，那里产生的暖湿气流会一路跨过中亚大平原，最终被伊犁的两条山脉抬升，形成大量降雨。这种地形滋润了伊犁，却苦了新疆大部分地区，因为这股最大的暖湿气流经

暖湿气团爬山就会下雨

过两座大山的阻挡，进入新疆腹地时水蒸气已经**所剩不多**了。山脉两侧巨大的气候差异，就是地形雨造成的影响，这种现象在世界很多地方都能看到。

至于降雪，其实原理也一样，区别就在于空气温度不同。同样的气流状况，发生在夏天就是降雨，发生在冬天就是降雪。在寒冷的北方冬天，由于气温低于零摄氏度，云滴会被冻成**小冰晶**，在互相碰撞的过程中逐渐组合成雪花，最终从天而降；若是接近地表处的那层空气温度比较高，一部分雪花就会在降落过程中融化，那就是**雨夹雪**了。

一句话总结，我们日常看到的那些比较温和的降水方式，是**暖湿气团**被以各种较慢的方式抬升到空中，然后遇到高空的冷空气，**凝结下落**的结果。但降水并不总是温和的，有些时候，它们也会来得惊天动地，这又是怎么一回事呢？

不，雪孩子还在呢！瞧，太阳晒着晒着，他变成了很轻很轻的水汽。飞呀，飞呀，飞上天空，变成了一朵白云，一朵美丽的白云。

——部编版小学语文课本，二年级（上）
《雪孩子》

暴雨、霰和冰雹

　　前面提到的情况全都属于弱对流天气：冷气团或者上坡地形，就像一只温柔的手，将暖湿气团轻轻托起，让它有充足的时间，慢慢凝结成雨。但在另外一些情况下，当地面温度过高，短时间内形成巨大的上升暖湿气团，或者高空的空气迅速变冷形成垂直下降的冷空气，可怕的**强对流**天气就将形成，前文提到过

← 暴雨、霰、冰雹，
都发生在强对流
形成的积雨云中

的积雨云就要登场了。

从地面看向天空，如果有一块云漆黑无比，明显有别于周围浅灰色的云，它就是**积雨云**。它通常面积不大，而且很高。在强大的上升暖湿气团和强大的下降冷空气的对冲下，积雨云中的水蒸气以极快的速度凝结、碰撞、融合、下落，会形成短时间内的强降水。与此同时，在强对流的作用下，云滴（以及冰晶）激烈地摩擦碰撞，产生了静电，每一个云滴上都带有正电荷或者负电荷。带正电的云滴聚集在云的上层，带负电的云滴聚集在云的下层，当它们之间的电压达到一定强度时，就会形成**雷电**。因此，强对流天气的典型特征，就是狂风大作、暴雨倾盆、电闪雷鸣。

这仍然只是强对流天气中的普通情况。如果对流足够强、高空中的冷空气足够冷，那么云滴就容易结成冰晶，然后穿过高大的积雨云一路下落，并与其他冰晶碰撞融合，迅速集结成一个个米粒大小的冰球，噼里啪啦地砸下来，形成**雹**。在极端情况下，聚成的冰球能有鹌鹑蛋甚至鸡蛋那么大，破坏力十足，这就是灾害级别的**冰雹**了。

第 3 章

四季分明的中国气候

太阳为地球带来了光和热，地球的**自转和公转**为人们带来了四季，世间万物便都遵循这个规律来运转。

中国幅员辽阔，加之地势高低不同，地形类型和山脉走向多样，因而各地的气温和降水情况不同，形成了多种多样的**气候类型**：东部沿海湿润，西部内陆干旱，北方寒暑分明，南方冬季温和。

气候和季节决定了动植物的生活规律，也决定了人们的**生产和生活方式**。千百年来，习惯了农耕和放牧的中国人，早已与中国的季节和气候融为一体。

地球上的光明和温暖都是太阳送来的。如果没有太阳，地球上将到处是黑暗，到处是寒冷，没有风、雪、雨、露，没有草、木、鸟、兽，自然也不会有人。一句话，没有太阳，就没有我们这个美丽可爱的世界。

—— 部编版小学语文课本，五年级（上）

《太阳》

太阳给地球带来了什么？

　　地球万物赖以生存的太阳，是一个巨大的"**核聚变反应堆**"。它的体积大约相当于 130 万个地球，质量相当于 33 万个地球。构成太阳的元素主要是氢和氦。在太阳内部高温高压的条件下，氢原子不断进行**核聚变反应**，变成氦原子，同时释放出大量的能量。

　　这些能量以**电磁波辐射**的形式辐射到宇宙空间中，当然其中也包括地球。与整个太阳系相比，地球渺小得如同沧海一粟，况且它离太阳还有 **1.5 亿千米**的距离。因此，获得的能量只占太阳总辐射量的**二十二亿分之一**。但正是这二十二亿分之一，为地球带来了光和热，也带来了各种影响我们生活的宇宙射线。

看得见与看不见的光

　　太阳发射电磁波到地球，这些**电磁波**的波长并不相同，有长有短，而我们人类的肉眼只能识别出其中的一部分——太阳光谱中的赤橙黄绿青蓝紫七色光，被统称为**可见光**。波长比红光更长的光叫作红外线，比紫光更短的光叫作紫外线，它们都不会被人眼看到，也就是**不可见光**了。

　　七色光平时混在一起时呈现白色，所以我们看到的太阳光是白的，但是通过空气或者三棱镜等的散射，它们就会被分开，形成彩虹。可见光为地球带来了光明，也为整个生命世界最根本的物质来源——**光合作用**，提供了不可或缺的能量。通过吸收光能，植物等含叶绿素生物将空气中的二氧化碳转化成供能物质，这是将非生命物质转化成生命物质的**起点**，也是生态系统中整个食物链的开端。

　　在为生命提供能量的同时，光也会被地球表面的各种物质吸收，其中的一部分能量将被转化成热能，为地球带来热量。产生的热量本来会被辐射回宇宙空间中去，幸好很大一部分被大气保留住了，这是因为大气中有大量水蒸气、二氧化碳等大气**保温气体**，能够吸收地面向外辐射的热量并被加热——这才让空气有了适宜的温度。如果没有温室气体，地球就只能是一颗凉透的**大冰球**，根本不会有生命存在。

| 10^{-5} | 10^{-4} | 10^{-3} | 10^{-2} | 10^{-1} | 1 | 10 | 10^2 单位：米 |

红外线

微波

无线电波

　　阳光中**紫外线**（UV）的作用同样不可忽视，它对生命既有好处也有坏处。根据波长从长到短，紫外线又可以分为紫外线 A 段（UVA）、紫外线 B 段（UVB）和紫外线 C 段（UVC），波长越短的杀伤力越大。UVA 会将人晒黑，加速皮肤老化；UVB 能促进人体合成维生素 D，但过量了就会毫不留情地将人晒伤，甚至破坏皮肤细胞的 DNA，诱发皮肤癌；UVC 则能够杀死细菌，但对眼睛有严重的伤害。

　　地球之所以是一颗宜居的星球，与神奇的**大气层**密不可分。大气层，尤其是高空中的臭氧层，能够阻挡 95% 的 UVB 和全部的 UVC，让生命不至于暴露在它们的肆虐之下。有趣的是，臭氧层恰恰是由 UVB 和 UVC 所引发的光化学作用形成的。

调皮的太阳

除了可见光、红外线和紫外线，在太阳向外辐射的电磁波中，还有很少量的**高能射线**，比如 X 射线和 γ 射线。它们的波长比紫外线还要短，能量因此也就越高，穿透力也更强。如果大量接触这些高能射线，会对人体造成非常大的伤害；但它们能量高、穿透力强的特性，在控制剂量的条件下，也得到了人类的广泛运用。比如医院里常用的 **X 光机**就能透视人体、检查体内是否有病变；**伽马刀**则是通过用 γ 射线集中照射，不用开刀就能定点清除体内的病灶。

γ 射线产生于太阳内部，多半在太阳表面就被挡住了，但在耀斑爆发的时候，它仍然可以突破这层阻隔。在太阳大气层的中层——光球层，有时可以观测到一块突然增大、增亮的色斑，这就是耀斑，是太阳异常剧烈活动的标志。**耀斑爆发**从开始到高潮，只需要几到几十分钟。

然而就在这短短的时间内，却释放出了相当于 100 亿颗大号级氢弹的能量，其中包括很强的无线电波，大量的紫外线、X 射线、γ 射线，以及高能带电粒子。

这么多的大杀器同时出现，地球上的生命会不会遭遇灭顶之灾？别担心，我们有**大气层**，从太阳辐射到地球的 X 射线和 γ 射线，绝大部分都被地球大气层挡在了外面，根本不会到达地球表面。与此同时，耀斑发出的其他一些射线则会在大气层的外圈引起一些效应：短波长的电磁波进入大气高层，会干扰无线电通信；而高能带电粒子流则能使地球磁场受到扰动，产生"**磁暴**"现象，这会让指南针剧烈颤动、不能正确指示方向，在极地附近地区的高空，还会因此出现美丽的奇观——极光。

正在爆发的
耀斑

四季与节气

　　春季万物生发，夏季酷暑难当，秋季草木渐衰，冬季银装素裹，这是中国大部分地区典型的四季景观，生活在这些地方的人们也早已习惯了**四季分明**的气候。面对如此司空见惯的现象，不知你是否思考过为什么会有四季。

　　从前民间流传的一种说法认为，地球在夏季离太阳近，所以温度高；在冬季离太阳远，所以温度低。听起来似乎很有道理，可惜这并不是真相。四季产生的真正原因，就藏在地球的**自转与公转**里。自转就是地球绕着自身的自转轴旋转，像陀螺一样，自转一周是一天。公转是地球围着太阳旋转，公转一圈是一年。公转与自转同时进行，使地球产生了四季和昼夜。

　　春季里，春风吹，
　　花开草长蝴蝶飞。
　　麦苗儿多嫩，桑叶儿正肥。

—— 部编版小学语文课本，二年级（上）

《田家四季歌》

地球在形成后不久受到了小行星忒伊亚的碰撞，导致它的自转轴发生了倾斜。我们把坐标定在北京，从一年的春分日开始，看看倾斜的自转轴如何促使**四季的形成**。

在**春分日**，也就是 3 月 21 日或 20 日这天，白天和夜晚的时长相等。在太阳的球心和地球的球心之间连一条直线，这条直线与地球表面相交的点，就是太阳的直射点。离直射点越近的地方，阳光就越强烈。春分日时，太阳正好直射在**赤道**上，南北半球得到的是完全相同的光照。

夏至日

春分日过后，由于自转轴的倾斜，太阳直射点开始**向北移动**，北京所在的北半球开始接受更多的光照。由于直射点渐渐往北移，北京接受到的阳光越来越强烈，白天也越来越长。双重作用之下，北京的天气开始越来越热。直到 6 月 22 日或 21 日**夏至日**

这天，地球公转刚好走过了四分之一，太阳的直射点来到了一年当中的最北边，也就是北纬 23°26' 处的**北回归线**。因此夏至日是北京所在的北半球白天最长的一天。

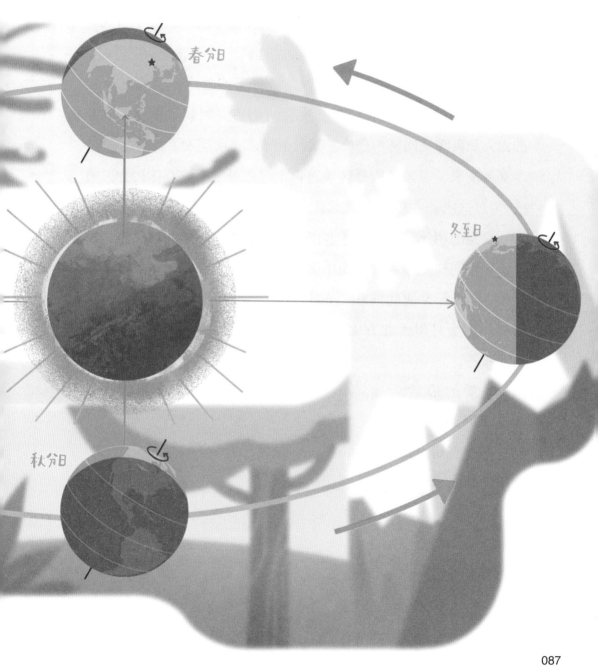

但生活经验告诉我们，夏至并不是夏日的顶点，它只是**夏日的序曲**（天文学上规定夏至是北半球夏季的开始）。虽然此后太阳直射点开始**南移**，但在此前的长时间日照中，大地积攒了大量的热量，这些热量会被慢慢地辐射到空气中去。因此 7 月才是真正的盛夏，也是一年中最热的时候。

在此之后，当地球公转轨迹又经过了四分之一，在 9 月 23 日或 22 日这天，**秋分日**到了，太阳直射点又回到了**赤道**，北京的白天和夜晚又回到一样长。气温下降，北京进入了秋天。

接下来，当地球的公转轨迹再走过四分之一，在 12 月 22 日或 21 日这天，太阳的直射点移动到南纬 23°26' 处的**南回归线**，来到夏至的相反状态，即**冬至**。冬至日是北京一年间白天最短的日子，它同样是冬天的序曲（天文学上规定冬至是北半球冬季的开始）。随着大地此前积攒的热量耗尽，随后的两个月里，北方大地进入了凛冽的寒冬。

最后的最后，一切又将回到原点。经过冬至点后，地球将转回到春分点去。冬去春来，地球一年的四季循环，又要重新开始了。

地球自转偏角是 23°26'

二十四节气

中华文明发源于黄河中下游流域，这里四季分明。正因如此，从古至今的劳动人民根据季节更替的规律和相应的物候现象，总结出了一套用来指导**农业生产**的经验，将一年四季的不同时间段细分成了二十四节气，每个季节分为六个节气。

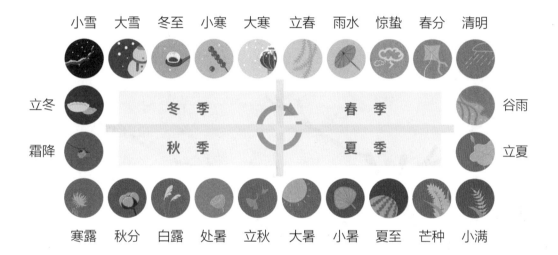

每当各节气到来，农民都知道应该去田里做些什么——插秧、间苗或者收获。这是因为，一方面，节气对应着准确的农历时间；另一方面，劳动人民也根据各个节气的物候现象，总结出了一套"**七十二候**"，每个节气包含三个物候现象，方便根据物候现象来判断时节。对这些物候的描述，有些基于比较科学客观的观察，但也有一些并不符合事实。我们不必一一列举七十二候，但是可以通过几个例子来看看季节、节气、物候之间的联系，让读者体会其中的奥妙。

春季：惊蛰初候——**桃始华**。惊蛰是农历二月的第一个节气，对应公历为每年的 **3月6日或5日**。时值早春，山间的桃花是所有显眼的植物中最早开花的。桃开花比长叶早一点点，当它的花开到全盛时，绿叶才刚刚吐露。因此，远远看去，叶子几乎不见踪影，整棵桃树就是一棵粉红色的花树。作为常见物种，桃花常常开得漫山遍野，如同粉色的烟雾笼罩群山，是**春暖花开**之时，最具标志性的美景之一。

← 盛开的桃花是早春绝美的山景

夏季：芒种初候——**螳螂生**。芒种是农历五月的第一个节气，公历为每年的 **6月6日或5日**。这是一年中最早看见螳螂的时候。在北方，螳螂是一年一个轮回的昆虫。每年秋季，雌虫会在交配后产卵，并在产卵时分泌泡沫状的黏液，将几十上百颗螳螂卵包裹在里面。黏液很快就会凝固，形成一个蓬松保暖的卵鞘，帮助螳螂卵度过寒冬。随着春来后天气转暖。螳螂卵蠢蠢欲动，并在5月下旬和6月上旬这段时间孵化。大量的小螳螂从此开始在植物丛中捕食昆虫，开启自己"**昆虫杀手**"的一生。

小螳螂孵化不久
就能自行捕食

秋季：白露二候——**玄鸟归**。白露是农历八月的第一个节气，公历为每年9月8日或7日。"玄"是黑的意思，"玄鸟"指的就是身披黑色羽毛的**家燕**。它们在房檐下筑窝，是中国人最熟悉的候鸟之一。黄河流域是家燕的夏季繁殖地，它们在这里衔泥筑巢，凭借高超的飞行技术捕捉飞虫为食。但是冬天一到，抓虫子的本事就派不上用场了，因为虫子都藏起来了。因此，家燕必须**迁徙**到温暖的地区去过冬，迁徙开始的时间就是9月初。等到第二年春天，它们又将飞回北方，正如儿歌里唱的"年年春天来这里"那样。

家燕南飞

夫妻合力，共筑新巢

冬季：小寒二候——**鹊始巢**。小寒是农历十二月的第一个节气，公历为每年1月6日或5日。"鹊"就是**喜鹊**，不同于一到秋天就往南飞的燕子，喜鹊可是地道的北方留鸟，有充足的办法让自己度过寒冬。它们在冬季结成"**团伙**"，共同进退，如同扫荡般地搜罗林间地面的植物果实、越冬的昆虫和动物尸体来食用。喜鹊团伙凶猛、狡猾、团结，其他鸟类都不是它们的对手。在过冬的同时，喜鹊们也在积极地准备筑巢。喜鹊是一夫一妻终身相伴的鸟类，但它们的巢要一年一换。冬季遍地的枯树枝是喜鹊理想的**建筑材料**，它们随处捡拾这些枯枝，夫妻合作，花费一个多月，在高大乔木的树权上搭起一个又大又坚固的鸟窝来。等春天到来，喜鹊的繁殖季节就开始了，喜鹊夫妇将在这个新搭好的鸟窝里下蛋，开始养育自己的下一代。

中国的不同温度带

"一骑红尘妃子笑，无人知是荔枝来。" 唐玄宗李隆基为了让杨贵妃能在长安吃上产自南方的新鲜荔枝，动用了唐朝的快递系统——驿站，专门的送信人员，加上最快的马，再在荔枝箱子里放上冰块，一站一站地换人换马换冰。就这样，耗费了大量的人力物力，终于保证了荔枝在运到长安时还是新鲜的。

可是为什么不直接在长安种荔枝呢？

原来，植物的生长对**热量**很敏感。大多数的农作物，只有在气温稳定上升到10℃以上才能活跃成长。于是，一个地区的热量条件就决定了这里的**植被类型**，从而决定了整个生态环境。我们把一个地区气温连续在10℃以上的日平均气温累加起来，得到一个总和，称为**积温**。活动积温反映了一个地方气候对农作物所提供的热量条件，依据它的数值，我们可以划分温度带。

> 大兴安岭，雪花还在飞舞。
> 长江两岸，柳枝已经发芽。
> 海南岛上，到处盛开着鲜花。
> 我们的祖国多么广大。
>
> —— 部编版小学语文课本，一年级（下）
> 《祖国多么广大》

中国从北到南被划分为**五个温度带**：寒温带、中温带、暖温带、亚热带、热带。除此之外，还有一个面积广大、地高天寒的青藏高原区。

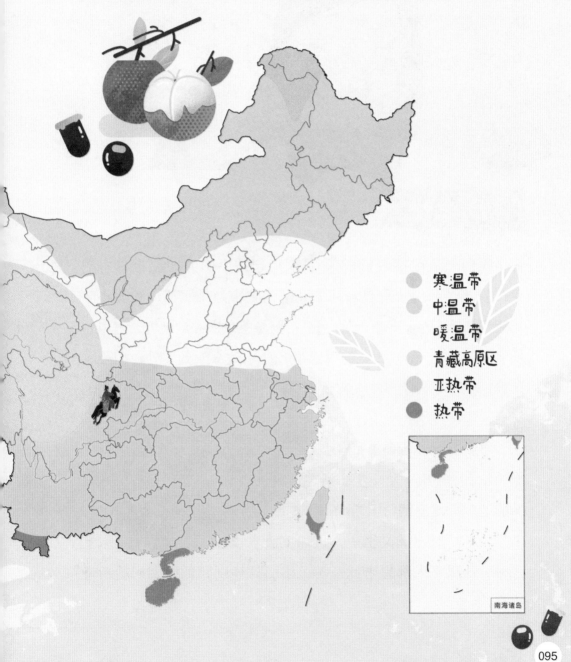

寒温带
中温带
暖温带
青藏高原区
亚热带
热带

南海诸岛

极寒之地

轻轻一哈气，鬓发满白霜

　　我们先从温度最低的**寒温带**说起，中国的寒温带只有黑龙江省北部和内蒙古自治区东北部的狭窄地带，活动积温小于1600℃。处在寒温带里的**漠河**是中国冬季最寒冷的地方，气温曾低至 –52.3℃。在这么低的气温里，把一盆水放到室外，用不了几分钟就会完全结冰；人在街上行走，脸仿佛被刀割着，呼出的气会迅速在头发上结霜，让人"满头白发"。

　　寒温带只有马铃薯和春小麦等少数农作物可以成长，而且只能一年一熟，因此历史上生活在这里的人并不以农业为生。但特殊的地理条件反倒给了**旅游业**发展的机会，漠河夏季几乎没有黑夜，冬季时白天又很短，再加上泼水成冰、马拉爬犁等冰上活动，让很多人都想来此一游，感受高纬度和低温带来的新奇体验。

冰天雪地

从寒温带向南走，就进入了占据广阔面积的**中温带**。中国的中温带分布在长城以北，占据东北地区和内蒙古的大部分，以及新疆北部。中温带的活动积温在1600～3400℃。中温带主要农作物是小麦、玉米、亚麻、大豆、甜菜等，每年可以生长4～6个月，只能是一年一熟。由于冬季太冷，这里种植的小麦是**春小麦**，开春播种，7月中下旬收获。在不能种庄稼的广大地区，山地则雨水多些，生长着森林；平地雨水少些，分布着一望无际的草原，中国历史上的匈奴、鲜卑等游牧民族，就是发源于这些草原上。

中温带地区的冬天只比寒温带暖和一点点，其中一些地方靠近海洋，直接受到海洋暖湿气流的吹拂，比如黑龙江省和吉林省的东部，冬季降雪因此更多。这些地方常出现壮丽的**雾凇奇观**，是观赏冬季美景的绝佳去处。

暖温带是中华文明的发祥地

中原大地

刚才提到了春小麦，那么**冬小麦**在哪里种植呢？那就需要从中温带继续向南走，来到**暖温带**了。暖温带的积温范围在3400～4500℃，长城以南，秦岭－淮河以北，是暖温带所覆盖的地区。这里的冬小麦一般在9月中下旬至10月上旬播种，越过冬季后，在次年5月底至6月中下旬成熟。除了冬小麦，暖温带的主要农作物还有玉米、棉花，它们每年可以生长5~8个月。因此，农作物在暖温带可以达到**两年三熟**，产量大大提高。

暖温带地区的冬天不会太冷，夏天不会太热，空气也不会太潮，在这样舒适的环境中，人不容易生病；粮食产量充足，在古代意味着人们有饭吃，不会经常发生饥荒。因此，暖温带所覆盖的**华北和中原地区**是古代最适宜人类生活的地区，自然而然地成了中华民族的发源地，也成了历代封建王朝的统治中心。

鱼米之乡

前面所说的寒温带、中温带和暖温带有一个共同的特征：1月的平均气温低于0℃。暖温带最南方的边界就是大名鼎鼎的**"秦岭－淮河"线**。

跨过"秦岭－淮河"线往南，我们将来到中国的**亚热带地区**，感受明显的气候变化。这里1月的平均气温高于0℃，冬季很少下雪，经常下雨，河流通常不会结冰；森林中的树木也大多不会落叶，被称为亚热带常绿阔叶林。因为淮河南北两岸的气候大不相同，所以物种差别也很大。

中国亚热带地区的代表就是**长江中下游流域**，其中江汉平原、江南地区等地物产丰饶，常被称为"**鱼米之乡**"。这里湖泊众多，水网纵横，农田中的水田较多，主要粮食作物是水稻，油料作物是油菜。亚热带地区的活动积温在4500~8000℃，农作物每年的成长期也是5~8个月，作物可以**一年两熟**，产量高于中原地区。在历史上，随着唐朝末年和北宋末年的中原战乱，大量的百姓迁居到南方，以江南为代表的亚热带地区便成了中国新的农业和商业经济中心。

雨林和沙滩

还记得北纬 23°26' 的北回归线吗？太阳直射点到了这里就要"回头"，往南而去。南北回归线之间的地区全年日照都很强烈，是地球的**热带**.中国最南边的一些地区属于这个温度带。这里的年积温在 8000℃ 以上，夏天**炎热无比**，冬天的最冷月均温也在 10℃ 以上，因此"冬天"在这里基本只是一个时间概念，不是一个气候概念。

虽然春夏秋冬四季差别不大，但热带地区有差异显著的**雨季和旱季**。比如在海南，雨季是 5~10 月，潮湿闷热；旱季是 11 月~第二年 4 月，空气干燥。因此，海南一年中气候最舒适的季节反倒是冬季，这也正是它一年中的旅游高峰，北方游客纷纷来到这里度假。

热带地区植物**四季常绿**，雨林密布，普遍种植荔枝、龙眼、菠萝、香蕉等其他温度带难以种植的作物；这些地方的稻米能够达到一年三熟，还能为北方地区提供大量的反季节蔬菜。

世界屋脊

  一个地方的冷暖由纬度和海拔两方面决定，在同一个纬度，温度会随着海拔的升高而降低，海拔每上升 100 米，温度平均会降低 0.6℃左右，所以说"**高处不胜寒**"。在中国西部的**青藏高原**，平均海拔高达 4000 米，是当今世界上海拔最高的地区，号称"**世界屋脊**"。因此，青藏高原虽说纬度偏南，但是气温较低，夏季格外凉爽，冬季气温与暖温带差不多，形成了不同于其他地方的**高原气候带**，也诞生了特有的雪山和高海拔潮湿草原环境。这里的年积温小于 2000℃，作物每年只有不到 4 个月的生长时间，粮食作物以**青稞**为主，也是一年一熟。早在 3000 多年前，青稞就被人们驯化成了可以种植的品种，人们将它炒熟磨成粉后制作成糌粑，或者酿成青稞酒。

第4章
地球的生态环境

在阳光、温度、水等因素的**共同作用**下，地球上的各种环境应运而生。森林、草原、荒漠、海洋……这些环境中的植被、食物和天敌，直接决定了哪些生命能够存在，也决定了这里是否适合人类生存。各种因素相互作用，就构成了一个个**生态系统**，这是人类认识自然、认识动植物最直接的窗口。

敕勒川，阴山下，天似穹庐，笼盖四野。
天苍苍，野茫茫，风吹草低见牛羊。

—— 部编版小学语文课本，二年级（上）

《敕勒歌》

草原

　　如果说有一首诗歌代表着大多数人对于草原的第一印象，想来就是**《敕勒歌》**了。碧蓝如洗的天空，一望无际的原野，大群大群的牛羊，身跨骏马的牧民，雄浑嘹亮的歌声，这些便是草原的基本要素。草原的景色固然壮美，但从生态和**生物多样性**上来讲，它却并不是物种最丰富、生态最稳定的一种环境。稀缺的水资源和单一的植被，才是草原这种环境的核心内涵。

草原的生态

在生态环境中，草原指的是天然的**草地植被**，通常出现在平地或者平缓的丘陵地带。形成草原有**两个要素**：一是土壤层薄，二是降水少。这二者使得高大的树木等植物无法扎根，那些根系浅、比较耐旱的小草才是草原上的主要植物。

正是因为干旱、植被种类不太丰富，草原上生活的**动物种类**也不如森林环境多，而少数适合草原生活的动物物种则有着丰富的种群数量：蒙原羚成群结队地在草场上奔跑；蝗虫在夏秋时

黄鼠

蝗虫

节随处可见；还有身形娇小的黄鼠，在无遮无掩的草原上，挖洞是它们躲避天敌的主要办法。

　　草原同样深刻影响着人类的生活。由于不适合农耕，草原上的人们通常以**游牧**为生。稀缺的降水是草原上最重要的生存资源，哪里下雨了，哪里的草就会生长，哪里的牛羊就有草吃。因此，放牧牛羊的人们会不断地**迁移牧场**，逐水草而居，这也就是"游牧"中"游"字的由来。为了一块好的草场，古代游牧民族的人们征战不息，养成了豪放尚武的性格。哪块草场好，哪块不好，正是水资源分配不均所造成的草原类型的分别。

← 蒙原羚，又叫黄羊

苜蓿是富含氨基酸
的优质牧草

水草美地

所有草原类型中，自然条件最为优越的是**草甸草原**。这是一种森林向草原过渡的植被类型，年降水量一般在 450 毫米左右。中国著名的**呼伦贝尔大草原**就是典型的草甸草原，长满茂密森林的大兴安岭脚下，即是这一望无际的绿色草场。湿润的环境和肥沃的土壤滋养了多种草本植物，尤其是像**苜蓿**这样需水量稍高的优质牧草。在草甸草原上，植物群落的平均高度可达到 40～50 厘米，是温带草原类型中产草量最高的，因此是重要的**畜牧业基地**。因为优美的自然景观，它也是草原生态旅游的热门目的地。

向荒漠前进

水草丰美的呼伦贝尔大草原并不是草原的常态，而是"上天眷顾的幸运之地"。最典型的草原叫作**大针茅草原**，要更加干旱一些。在一些年平均降水量 350 毫米左右的地方，比如内蒙古中部的多数地区，植被更加稀疏一些，走近了能看见裸露的土地。这种草原上最具代表性的植物是大针茅，夏季时，它那白胡子般的花序会迎着微风轻轻飘摇。这一类草原植物群落的平均高度在 30 厘米左右。由于处在**半干旱**的地带，大针茅草原始终面临生态系统退化的危险。

从内蒙古中部往西走，降水逐渐减少，草原类型也逐渐变成了**荒漠草原**。那里的年降水量只有 200 毫米左右，大多数草**十分矮小**，产草量很低，只有山羊和骆驼才能生存。

高原和高山

在同一地点，随着海拔升高，温度会逐渐下降。这个原理相信你还记得。如果升得**足够高**，一切都会变得不一样。即使在赤道附近，一座超过 3000 米的高山上仍然很寒冷，生长的植被与山脚下截然不同。而在中国，青藏高原隆起所造就的大片**高海拔地带**，更是影响了极大范围的气候和生态。冰川、溪流、草地、岩石，是高山和高原环境下标志性的景观，也赋予了这些地方独树一帜的魅力。

遥远的新疆，有美丽的天山，雪山上盛开着
洁白的雪莲。

—— 部编版小学语文课本，一年级（下）
《我多想去看看》

高原的阶梯

在**高海拔地区**，寒冷只是影响环境的要素之一，天气的晴雨也会给高海拔的生物带来挑战。晴天时，日光比低海拔地区强得多，尤其是紫外线更强，动植物都容易被晒伤。而根据地形雨的形成原理，暖湿气流很容易在遇到高山后被抬升，随后在抬升的过程中遇冷，逐渐饱和，最终形成降水。在一定的垂直高度范围内，降水量一般随高度的增高而增多，因此，越是高山顶上，越是云雾缭绕、天气湿冷、阳光不足。

由于气温和降水条件都会随着海拔升高而变化，从山麓到山顶就出现了**垂直分布**的气候带和相应的生物、土壤带。世界上最完整的山地垂直生态系统带谱，就在中国西藏的**雅鲁藏布大峡谷**。在这个水平距离只有几十千米但垂直落差达 6000 米的范围内，可以看着树木从阔叶变成针叶，从乔木变成灌木再变成草本，再到最后积雪覆盖、寸草不生，观赏**从热带到寒带**的几乎全部自然景观。

此外，山的坡向也是影响生态景观的重要因素。暖湿气流在来到山顶形成降雨后，将继续越过山顶，向背坡吹去。此时的它已经被抽去了水分，变成了干热的**焚风**，让高山两侧的环境呈现很大的不同。

杜鹃草甸

　　中国的高山大多集中在青藏高原及其周边地区，我们不妨到那里去一探究竟。从海拔较低的平原一路**爬升**，依次穿过亚热带常绿阔叶林、温带落叶阔叶林、针阔叶混交林、针叶林、灌木林，随着木本植物逐渐变矮，在海拔 4000 米左右，我们将会遇到一种特殊地貌——生有大量杜鹃花的草甸。这里连一人高的灌木都找不到了，潮湿的草甸上面间或生长着一片片齐膝高的**高山杜鹃花**灌丛。初夏时节，正是杜鹃开花之时，杜鹃的花色以红、粉、白为主，将整片荒地铺满了姹紫嫣红的色彩，分外美丽。**潮湿草甸**上的小草们也不遑多让，珠芽蓼、龙胆、蓝钟花、蜡菊等各色鲜艳的野花次第开放，贯穿夏秋两季，将草甸变成了随时节而变幻的花毯。**牦牛**最喜欢在这种环境中慢条斯理地吃草，享受那仿佛无穷无尽的悠闲时光。

杜鹃花属（*Rhododendron*）

垫状点地梅（*Androsace tapete*）

雪莲（*Saussurea involucrata*）

生命极限

从草甸再往高处爬升，就会来到一种**碎石遍地**的环境。强烈的紫外线、昼夜巨大温差导致的热胀冷缩，使得高海拔处的裸露岩石很容易风化、碎裂。这些碎石沿着山体慢慢下滑，就形成了**流石滩**。流石滩再往上就是雪线了，雪线以上终年冰天雪地，几乎是**生命的禁区**，因此流石滩基本可以算作高山生物存在高度的极限。

在流石滩上，灌木彻底消失，仅存的低矮植物无法铺满地面，只能顽强地从一个个石头缝里挤出来，生动地诠释着**高山植物**的坚忍不拔。流石滩上很多植物的茎缩得极短，所有叶子都贴着地面生长，演化成了垫状，这是为了保暖，尤其是为了让落在脚下的种子能在"垫子"的覆盖下熬过寒冬。另一种保暖的方式，属于人们奉为奇花的**高山雪莲**。雪莲叶子上的细密绒毛是它的**"保暖毛衣"**，同时还能反射掉过量的紫外线，让这种圣洁之花能够在苦寒高山的碎石夹缝中傲然绽放。

海底的岩石上生长着各种各样的珊瑚，有的像绽开的花朵，有的像分枝的鹿角。海参到处都是，在海底懒洋洋地蠕动。大龙虾全身披甲，划过来，划过去，样子挺威武。

—— 部编版小学语文课本，三年级（上）
《富饶的西沙群岛》

海洋

　　在地球上，人类生活的陆地只占 29% 左右的面积，而剩下的 **71%** 则全部为海洋所覆盖，并且世界上所有的大洋都是相通的。这么说来，海洋是世界上**最大的生态系统**。它的面积远远大于任何一片草原，它最深处的深度超过了珠穆朗玛峰的高度。海洋中的很多地方人类现在还无法到达，因此我们对其中的**神秘生物**知之甚少。"世界上还有 80%～90% 的现存物种没有被人类发现"，这个说法很大程度上指的就是海洋生物。

咸水和淡水不一样

海水不同于淡水，它的味道是咸咸的。这是因为陆地上的降水过程中，岩石和土壤中的一部分**矿物质**会被降水溶解，随着溪流与江河最终汇入海洋，海洋中的盐分逐渐积累，最终就成了咸水。盐度的差异让海洋与淡水中的生命体**迥然不同**，只有很少的物种能同时适应海水和淡水。此外，在海洋中比较深的地方，环境近乎彻底黑暗，压强巨大，为了生存，那里的生物演化出了适应特定环境的机能。

海洋生态系统的另一个特别之处在于，苔藓、蕨、松柏和种子植物，这些陆地上的"高等植物"，在海洋里几乎见不到。负责执行光合作用这个任务的，是一大群被统称为"**藻类**"的生命体。海洋藻类的体内有叶绿素，能够利用透过海水照过来的阳光的能量来合成营养物质。尤其是一些单细胞的浮游藻类，它们会被其他浮游生物，或者一些从海水中过滤浮游生物为食的动物吃掉，为整个海洋的食物链按下了**启动键**。

赶海胜地

月球的活动深刻影响着地球，比如使地球产生了**潮汐**。潮水有涨有落，岸边的一片地带会在涨潮时被淹没，在退潮时又重见天日，这片地带就叫**潮间带**。潮水的涨落让潮间带拥有非常特殊的生活条件：善游的动物在涨潮时活动，善爬的动物在退潮时活动；潮水会将海里的很多生物残骸冲上岸，为这里的动物们提供营养。

正因如此，潮间带具有非常丰富的生物多样性，沿海地区常说的"**赶海**"，就是在退潮时探索潮间带和浅水区。有的潮间带是**沙滩**，可以捡到贝壳，追逐沙蟹，挖掘蛏子和星虫。有的潮间带是**泥滩**，地面上布满了螃蟹洞，相手蟹、招潮蟹等小型蟹都在这里活动，一受惊吓便飞快地躲进洞里；泥滩上最好玩的莫过于可以上岸爬行的弹涂鱼，它们的皮肤可以辅助呼吸，还会在鳃腔中储存大量含氧气的水以充当"**陆地氧气瓶**"。物种最丰富的潮间带类型是**礁石滩**，礁石上附着密密麻麻的藤壶，大大小小的螃蟹躲藏在石缝里，各种螺、石鳖、帽贝等软体动物在礁石上爬行。礁石上有很多坑，退潮时这里仍会积水，形成"**潮池**"，为像海葵这样有水才能活动的动物提供了一个个微型的避风港。

海阔凭鱼跃

从岸边向海中游去，我们将进入广阔无垠的**开放海面**。根据深度不同，海水分为几个层次，其中最表层的 200 米能够被阳光穿透，里面的藻类能够进行光合作用，叫作**上层带**。开放海面中的大多数生物都集中在营养丰富的浅层海面上，所以这里是整个海洋中最热闹的所在。

开放海面中生活着世界上最小和最大的生物，它们之间形成了一条**完整的食物链**：在食物链的底层，单细胞浮游生物们被桡足类和介形虫等小动物捕食，这发生在每一寸海水里，却安静得仿佛从未发生。而在食物链的上层，则是速度、力量和群体数量的**较量**。沙丁鱼、小黄鱼和金枪鱼成群结队地游来游去，在彼此间大鱼吃小鱼的同时，它们还将成为鲨鱼、海豚、海豹、海鸟等更加庞大的**捕食者**的食物；庞大的须鲸大多数时候也生活在海的浅层，一口就能吞食成千上万的小鱼小虾。

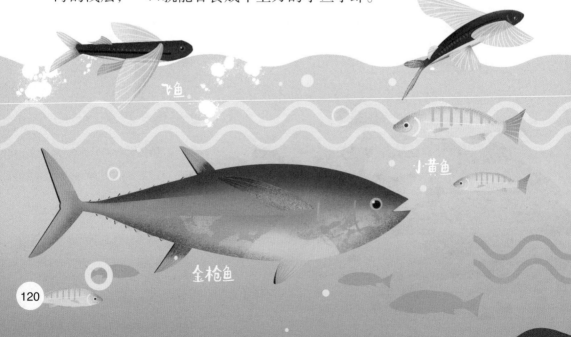

飞鱼

小黄鱼

金枪鱼

活的海岛

若问海洋中什么生物最擅长塑造环境，答案不是庞大的鲸，而是不起眼的**珊瑚虫**。它们会在身体根部分泌石灰质的外骨骼，这些外骨骼在珊瑚虫死后一代一代地积累了下来，逐渐形成了**珊瑚礁**。珊瑚礁分布在热带和亚热带的浅海区域，最大的珊瑚礁甚至能露出海面，自成小岛。它复杂的沟沟缝缝让很多弱小动物得以藏身，众多的共生生物还可以进行光合作用，有效地为这一区域补充**营养物质**。

因此，珊瑚礁成了温暖地区浅海的**生命热点**。里面除了多姿多彩的热带海洋鱼类以外，还有众多的底栖生物，包括各种螺类、贝类、章鱼在内的软体动物，虾蟹等节肢动物，海星、海参、海胆等棘皮动物……如此丰富的生命，让珊瑚礁有了"**海洋热带雨林**"的称号，吸引着无数人去那里潜水，一览其间的奇幻景象。

海葵鱼
（俗称小丑鱼）

海葵

海星

海蛞蝓

怪鱼深渊

与浅海区域的热闹相比，深海是幽暗而孤寂的。这里水压很大、几乎没有光亮，是人类在地球上最不了解的领域。由于没有光照，那里的生物只能**互相捕食**，或者以上层沉下来的生物残骸为食，比如海底的大王具足虫。

深海生物给人最大的印象就是怪异和恐怖，但这不过是适应深海特殊环境的**演化结果**罢了。鱼类通常利用气囊一样的鱼鳔来调节自身沉浮，但它在深海鱼类身上都退化掉了，因为它无法抵抗深海巨大的水压。深海鱼类多半嘴大牙尖，这是因为深海**漆黑一片**，它们看不见猎物，只能胡乱撕咬，嘴越大、牙越尖就越有机会咬住。很多深海动物都会通过共生的细菌来发光，用来识别配偶或者吸引猎物，比如**鮟鱇鱼**，它们的头前面悬着一根"钓鱼竿"，竿头发出光亮，吸引小鱼到自己的面前。

蝰鱼

海面上波涛澎湃的时候，海底依然很宁静。最大的风浪，也只能影响到海面下几十米深。阳光很难射进深海，水越深光线越暗，五百米以下就全黑了。

—— 部编版小学语文课本，三年级（下）
《海底世界》

鮟鱇鱼

大王具足虫

湿地

　　对大多数人来说，最常接触到的水生环境是**淡水湿地**。湿地指的是地表过湿或经常积水的地区，包括河流、湖泊、沼泽等。在大多数内陆地区，湿地对气候的影响比海洋更加直接。湿地最重要的作用是作为水资源的**缓冲区**，在降水多的季节将多余的水蓄起来，防止洪水泛滥；等到干旱季节来临，湿地中存蓄的水又能滋养附近的生命。

　　生态状况良好的湿地，还具备吸收污染物、净化水质的功能。由于调蓄水资源和净化污染的作用，湿地被形象地称为**"地球之肾"**。看来，青蛙要想卖泥塘，果然是绿意盎然的才好卖啊！

　　"卖泥塘喽，卖泥塘！"有一天，青蛙又站在牌子旁吆喝起来，"多好的地方！有树，有花，有草，有水塘。你可以看蝴蝶在花丛中飞舞，听小鸟在树上唱歌。你可以在水里尽情游泳，躺在草地上晒太阳。这儿还有道路通到城里……"

　　　　　　—— 部编版小学语文课本，二年级（下）

　　　　　　　　　　　　　　　《青蛙卖泥塘》

和水打交道的学问

湿地是大量生物的家园，生活在这里，意味着可以享受充足的水源，但也要解决在水中的呼吸、浮力等问题。**湿地植物**喜水且耐水，各自具备不同的在水中呼吸的方法，由此形成了一个立体的植物网络：**水生植物**有的扎根于水底，茎和叶伸出水面，它们的茎通常具备通气的孔道，能够将新鲜空气输送到水下的根，供其呼吸；有的从不扎根，漂浮在水面上，这样就不必考虑呼吸问题；还有的完全沉在水中，靠水中溶解的氧气过活。

在这立体的**植物网络**中，又生活着无数神

豆娘稚虫

龙虱

白鹭 →

奇的小动物：大鱼小鱼、虾蟹螺蚌、龟鳖蛇蛙，还有各色水生昆虫。鱼如何适应水的问题自不必说，昆虫也各有适应**水生生活**的方法。很多水生昆虫的足上有一排硬毛，用来划水游泳；有些昆虫为了呼吸，会利用腹部疏水的刚毛隔绝水，创造一个水下的气泡，好似带了一个**氧气瓶**；有些昆虫的腹部后面有一呼吸管，在游泳时让管口露在水面外；还有的昆虫长出了气管鳃，让水中的氧气直接穿过上面薄薄的表皮，渗透到里面的气管末梢。

在水中，捕食者的比例远远大于陆地上，是个生存斗争很激烈的"**修罗场**"。而在水面上，一些更强大的动物会将水生生物当作食物，比如种类繁多的水鸟。它们或是游泳，或是涉水，畅快地生活在芦苇丛掩映下的秘境中，也为湿地带来了盎然生机。

苇海生波

须浮鸥 →

位于河北省的**白洋淀**，是北方最有名的湿地之一。它原本是海河流域的一片天然湖泊，经过历史上的多次改造后变成了今天的样子。最大的改造是在北宋，当时为了抵御北方辽国的入侵，宋朝将河北一带的湿地改造并连接起来，形成了军事防线。今天的白洋淀是一片星罗棋布的小湖泊夹杂着陆地，岸边生长着高大密集的**芦苇**，遮挡住视线，小船往港汊里面一摆，就仿佛进了迷宫一般。

白洋淀物产丰富，是一片被深度开发的湿地，水面上栽种了大片的荷花，当地人以捕鱼和采收莲藕为生。如此幽深的芦苇荡同时也吸引了**大量水鸟**来此定居，它们往往会几十上百只地成群出没，布满了水面，蔚为壮观。就连那些珍稀鸟类也偏爱此地，根据最新的报道，白洋淀的国家一级保护鸟类有 10 种，国家二级保护鸟类有 41 种，堪称华北大地的一座**鸟类天堂**。

红军的草地

在《金色的鱼钩》中，那片红军历尽千难万险才穿越的草地，是位于四川省北部的**若尔盖大草原**。这里名为"草地"，实则是中国最大的**泥炭沼泽**。若尔盖地区是青藏高原东部边缘上的一块盆地，海拔 3300～3600 米，生长着一片大草原。因为周边环绕着群山，所以山上的冰川融水和雨水都会自然地汇聚到这块盆地里。**高原气候**寒冷潮湿，水分蒸发不畅，因此这些水逐渐泛滥，使草原上的很多地方浸泡在水中。久而久之，死去的草在水中腐烂，形成了最厚可达 1 米的**泥炭层**，泥炭沼泽由此形成，它占据了若尔盖大草原约 20%～30% 的面积。

沼泽的存在让"草地"泥泞难行，每走一步都有陷进泥里的可能，非常不利于人类生存。但对于动物们而言，这片半草原半沼泽的土地却是高原上难得的好地方，狼、水鸟和兀鹫都在这里生活得非常愉快。

1935 年秋天，红四方面军进入草地，许多同志得了肠胃病。我和两个小同志病得实在赶不上队伍了，指导员派炊事班长照顾我们，让我们走在后面。

—— 部编版小学语文课本，六年级（上）
《金色的鱼钩》

沙漠和戈壁

在极度干旱的地区，会形成**荒漠环境**。沙质土壤的荒漠叫作沙漠，而干燥土壤上布满碎砂石或卵砾石的荒漠就是戈壁。荒漠的形成原因主要有三种。第一种，在南北回归线附近，大气环流空气运动以下沉气流为主，下沉气流在下沉过程中气温升高、大部分水汽蒸发掉，难以形成降水，例如北非的**撒哈拉大沙漠**；第二种，远离海洋，空气含水量低，降水稀少，气候极其干旱，比如中国**西北地区**的塔克拉玛干沙漠；第三种则位于寒流经过的海岸边，**寒流**使周边地区的近地面温度下降，近地表有云雾但无法形成降水，因此干旱，南美洲西海岸的沙漠属于这种情况。

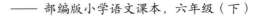

大漠沙如雪，燕山月似钩。
何当金络脑，快走踏清秋。

—— 部编版小学语文课本，六年级（下）
《马诗》

炎热与干旱

无论何种成因，荒漠都有几个**相同特征**：缺水、植被稀疏、昼夜温差大。荒漠中的植物多半株形紧凑、茎秆坚硬，叶子小小的，上面还有厚厚的蜡质层或绒毛层，这可以有效减少水分的蒸发，更好地适应干旱的环境。

动物的生存条件则更加严苛。白天太阳毒辣，地表的沙土被晒得**滚烫**，很多动物只能靠不停飞奔来减少与地面的接触；燥热的空气还会很快"榨"干小动物体内的水分，因此它们多半时间都躲藏在洞穴里或者树荫下。沙土热得快凉得也快，所以晚上的气温又会很低。这并不是动物活动的最佳温度，但它们管不了这么多，得趁着这个**水汽凝结**的难得时段，赶紧觅食和补充水分。

死亡沙海

中国最大的沙漠是新疆的**塔克拉玛干沙漠**。这片地区极度干旱，年平均降水量不足 100 毫米。塔克拉玛干沙漠的中央腹地是**生命的禁区**，除了沙子外什么也没有。在风的吹拂下，连绵起伏的沙丘在不断移动，变换着形状。

不过在沙漠边缘、塔里木河流域，以及少数有地下水的地方，还是有一些生命存在的，塔里木河两岸就生长着大片的**胡杨林**。比胡杨还耐旱的是梭梭和沙拐枣，这两种亲缘并不近的植物不约而同地将叶子演化成了肉质短棍状，以此来减少水分蒸腾；还将根系深深地扎进地下十来米深，尽全力寻找地下水源。只要有植物的地方，就有动物定居，"**沙漠之舟**"野骆驼就生活在这样的地方。夜幕降临后，各种各样的**拟步甲**开始出没，虽然它们严丝合缝的厚重甲壳能够减少水分蒸发，但显然，还是晚上出来更舒服一些。

拟步甲大家族成员众多，其中很多生活在荒漠中

梭梭

沙拐枣

133

麻蜥

沙蜥

戈壁荒滩

  在新疆的大多数地方，除了沙漠，就是戈壁。广阔的**戈壁滩**上，目之所及，几乎都是一样的土地，一样的植被。戈壁的**植物种类**要比沙漠多些，其中最有代表性的要数蒿类、藜类、柽柳和沙枣。蒿子是随地可见的野草；沙枣会结出当地人喜爱的小野果；柽柳是戈壁滩上非常醒目的景观灌木，它们密集的粉红色小花让戈壁滩上仿佛飘满了粉色的烟雾。戈壁上有很多**盐碱地**，高盐度让植物的吸水难上加难，只有像碱蓬、盐蓬、盐爪爪

等藜类植物专门适应着盐碱地上的生活。

　　沙蜥和麻蜥是白天戈壁滩上最活跃的动物。身为**变温动物**的蜥蜴需要阳光的温度来帮自己暖身子，这样它们才能有劲儿捕捉昆虫。不过在太阳下活动的昆虫并不多，尤其是**植食性小昆虫**，为了避免被阳光烤干，它们很多都在植物紧贴地面的位置生活，或者干脆钻进土里吸食植物根部的汁液。到了晚上，地洞里的鼠类纷纷探出了头。这里最常见的鼠类是沙鼠，它们喜欢寻觅植物种子为食；最特别的鼠类则是跳鼠——长耳朵、长腿、长尾巴，一跳一跳的样子真是可爱极了。

沙鼠

←跳鼠

我国东北的小兴安岭，有数不清的红松、白桦、栎树……几百里连成一片，就像绿色的海洋。

—— 部编版小学语文课本，三年级（上）
《美丽的小兴安岭》

森林

当人们在讨论"生态环境"时，首先想到的大多是森林。森林是以乔木为主体，以灌木和草本植物为辅的生态环境。**森林生态系统**的灵魂在于众多的树木，一方面，它们与其他植物、动物、真菌等生物，以及无机环境之间，相互依存也相互制约，使森林成了陆地上物种最丰富的环境；另一方面，树木的蒸腾水分、吸收二氧化碳、保持水土等功能，让森林具备了无可取代的环境功能，为森林赢得了"**地球之肺**"的美誉。

立体的生命空间

森林之所以物种丰富，与很多因素有关。

首先，茂密的**树冠**能够阻挡降水，让雨水缓慢落地，再加上根系的固着作用，让土壤不容易被雨水冲走。不断积累的落叶腐烂后形成新的土壤，增加着森林土层的厚度，这些土壤能够吸收大量的水，让林地的空气在大多数时间里保持湿润。树冠在白天阻挡了很大部分的太阳辐射，在夜间又有保温作用，让林中的温度相对恒定、舒适。

与此同时，树木为动物们提供了立体而多样的**生态选择**：可以吃茎、叶、根或者果，可以住在树冠上、树洞里或地面上，甚至还可以钻进土里。一棵树在倒下后，还会滋养更多的动物。木质在腐烂后变得更利于消化，上面又会生长真菌，树皮与木质之间的狭窄空间很便于藏身。在有些森林里，以朽木或真菌为食的昆虫，比吃新鲜食物的种类还要多。

正因如此，森林总是呈现出**生机勃勃**的景象。而从北到南，在中国的不同温度带里，森林又美得各有千秋。它们的温度、土壤和降水条件各不相同，因而生长着不同的树种，也生活着截然不同的动物群落。

紫貂
↓

林海雪原

　　小兴安岭是中国北方中温带地区森林的典型代表。这里最常见的一种森林是**阔叶－红松林**，它是一种阔叶树与针叶树混杂生长的森林，以生长着大量红松为突出特征。红松是国家二级重点保护野生植物，并且具有重要的经济价值，我们常吃的松子就是它结出来的，它的松脂还可以作为工业原料，木材也非常优质。除了红松之外，林中还有一些阔叶树，以桦树、蒙古栎、紫椴、水曲柳等为主，这些树更适宜昆虫取食，也因此大大丰富了林中的动物多样性。

　　总的来说，中温带的森林树种**比较单调**，在被人类砍伐后，这种现象会更加明显。早年间，红松还不是保护植物时，曾遭到大量的砍伐。在红松倒下的那些地方，白桦会迅速占领空地，形成单一树种的**白桦林**，成为这一地区森林的标志性景观。冬天到来时，茫茫林海被白雪覆盖，形成"**林海雪原**"的奇景，整个大地呈现出一种静谧、肃穆的美感。时不时地，驯鹿和紫貂会现出身形，为银装素裹的世界添上一丝生机。

驯鹿

野性天堂

从小兴安岭南下，森林中的树种将逐渐增加，直到我们来到西双版纳的**热带雨林**。这里的年平均气温在 21℃ 左右，年平均降水量超过 1200 毫米，空气相对湿度超过 90%。如此优厚的条件养育了大量的树木，也让大大小小的植物在相互竞争中挤破了头。为了**争夺阳光**，大多数树木都必须快快长高，以至于主干很高但很细，只能长出板根来做支撑。

参天的大树们夺走了大部分阳光，让其他植物不得不各出奇招。**绞杀榕**选择了作弊，它能够包裹缠绕在大树上迅速爬高，逼死大树的同时，让自己得以生存。生活在地面上的植物则纷纷演化出了**耐阴**的特性。可即便如此，地面空间还是不够用，很多植物不得不附着甚至寄生在大树的树干上生活。潮湿的空气让树干和石头上布满了苔藓和地衣，使得雨林的每一个角落都充满了生命。

依靠植物提供的**丰富营养**，无数奇妙的动物在雨林中穿梭。为了应对无处不在的天敌，雨林中的很多小动物都学会了隐蔽，像树皮的螳螂，像树枝的毛虫，像地衣的螽斯，在这里都很常见。

板根

绞杀榕

石纹螳

附生的石斛

棘萃蝓

第 5 章
生命的演化

在一个适宜生命存在的特殊星球上，**生命从何处来，又向何处去？** 现在的绝大多数生物学家共同认可的，用来解释这个问题的基础理论，叫进化，或者用一个更不容易被误解的词来说，是**演化**。它告诉我们，生命从古至今一直在发展变化，即使在你阅读这段文字的时间里，一些微小却不容忽视的变化仍然在发生着。

这些微小变化的**逐渐积累**，让鱼类登上了陆地，恐龙变成了鸟，也让当今地球的生命呈现出了无比巨大的多样性。

一个关于质变的故事

　　鸟是恐龙变的？这个想法曾经听起来很疯狂，因为它们的样子实在太不相同。但随着相关学说的逐渐发展、证据的逐渐积累，恐龙**演化**成鸟的观点已经深入人心。在漫长的演化过程中，随着新的生境、新的食物和新的活动方式被开发，新出现的物种会演化出与祖先**截然不同**的特征，形成一种全新的生命形式。从恐龙到鸟的演化就是这样的一个例子。

　　演化出鸟的恐龙，是恐龙中物种最丰富、外形最拉风的一个分支——**兽脚类恐龙**，其实就是我们熟悉的那些两足行走的食肉恐龙。从兽脚类到鸟，经历了一系列涉及骨架、前肢、羽毛和嘴的演变。这让恐龙从奔跑变成飞行，从撕咬变成了啄食。这些在当时看起来毫不起眼的**恐龙后裔**，最终却活过了白垩纪末的大灭绝，将恐龙的血脉延续到今天，发扬光大。

说到恐龙，人们往往想到凶猛的霸王龙或者笨重、迟钝的马门溪龙；谈起鸟类，我们头脑中自然会浮现轻灵的鸽子或者五彩斑斓的孔雀。二者似乎毫不相干，但近年来发现的大量化石显示：在中生代时期，恐龙的一支经过漫长的演化，最终变成了凌空翱翔的鸟儿。

—— 部编版小学语文课本，四年级（下）

《飞向蓝天的恐龙》

腔骨龙属（*Coelophysis*）

锁骨愈合成的叉骨

中空的骨骼

　　鸟类之所以能够飞行，一大原因在于它们中空的骨骼。鸟类骨骼中有着蜂窝状的空腔，没有骨髓，在轻盈的同时，尽量保证了坚固。这项特征在兽脚类恐龙中很早便出现了，实际上除了一些原始成员之外，大多数兽脚类恐龙都具备中空的骨骼，它们被统称为**虚骨龙类**。最早的虚骨龙是三叠纪晚期的腔骨龙，生活在北美洲。它站立时约有半个人高，嘴至尾尖有两到三米长，是标准的小型恐龙，灵活敏捷，以蜥蜴等小动物为食。

　　除了中空的骨骼外，腔骨龙还有其他一些不同寻常的特征。那些四足着地的恐龙每个掌上有 5 个指，而腔骨龙的手指则开始了**初步的退化**：它的第五指消失了，只剩下 4 个指，第四指变得和第五指一样小，基本丧失了功能。腔骨龙左右两边的锁骨在中间愈合在一起，形成了一个 U 形的叉骨，这个特征一直延续到了**现代鸟类**身上，我们在吃鸭锁骨的时候就能看到。叉骨的形成使得鸟类的胸腔骨架更加坚固，以支持发达的胸部肌肉的工作。

最初的羽毛

1996 年，中国科学家在辽宁义县发现了**中华龙鸟**，它具有纤维状的原始羽毛。发现之初，中华龙鸟曾被认为是真正的鸟，但研究表明它仍是地地道道的小型恐龙，属于美颌龙科。这是在鸟翼类恐龙（后文会解释）之外，人类发现的第一种带毛恐龙，也是当时所知的最原始的带毛恐龙，震撼了世界。

中华龙鸟的**原始羽毛**虽然看上去与哺乳动物的毛类似，但它是空心的，所以才被当作羽毛来看待。早期的恐龙羽毛很可能是由鳞片演化而来，关于它们的用途，人们众说纷纭。单以中华龙鸟来说，很多人认为它的羽毛可用于保暖，虽然白垩纪早期的地球整体比现在暖和，但当时义县地区的年平均温度只有 10℃，还是比较寒冷的。

另外，在美颌龙这一群体中，前肢的两个指已经彻底退化，**兽脚龙**从此进入了三指时代。

简单的原始羽毛 →

中华龙鸟（*Sinosauropteryx*）

最大的羽毛动物

　　同样在义县，中国科学家发现了已知最大的带毛恐龙——**华丽羽王龙**。华丽羽王龙的羽毛同样是比较原始的空心纤维状，但不同于中华龙鸟的是，同一个毛孔里会长出来好几根。这种全长 7 米以上、重超过 1 吨的恐龙是著名的**霸王龙**的远亲——它们都是暴龙大家族的成员，而华丽羽王龙在暴龙这一分支中处于比较原始的地位。华丽羽王龙的发现让科学家们发生了很大的争议：霸王龙是否同样有羽毛？应该说，目前没有直接证据表明霸王龙有羽毛。如果真的没有，我们可以尝试这样去解释：鉴于它们庞大的体形，也许是出于散热的需要，来自本族祖先的羽毛又退化掉了。

华丽羽王龙（*Yutyrannus huali*）

← 多个分支的简单羽毛

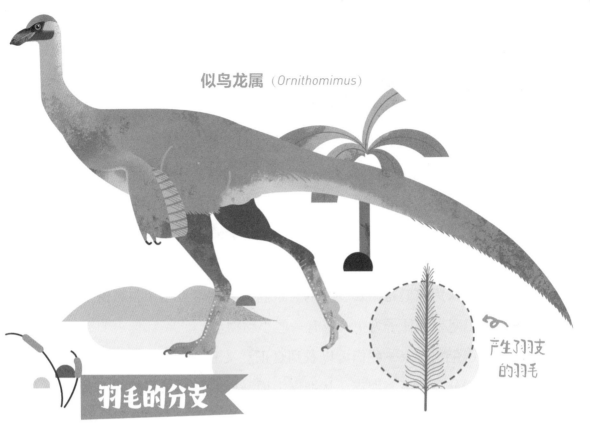

似鸟龙属（*Ornithomimus*）

产生羽支的羽毛

羽毛的分支

中华龙鸟和华丽羽王龙的纤维状羽毛之所以被一些人认为不算羽毛，是因为它与现代鸟类的羽毛差别太大——羽毛不是应该有分支吗？事实上，这是羽毛继续演化才会出现的状态。在**似鸟龙**身上，我们就可以看到这个结果。似鸟龙生活在北美洲，拥有修长的后腿和小小的脑袋，除了那根用来维持平衡的长尾巴外，活像一只鸵鸟。它们的前肢下面长有一排短短的羽毛，初步具备了一点翅膀的样子。这些羽毛是这样的：一根又长又直且空心的羽轴上，朝两侧伸出了很多羽支。这仍然不是现代鸟类羽毛的样子，因为这些羽支没有再次分支，也没有相互钩挂在一起，所以非常松散，**很难兜风**，没法用来飞行。

"偷蛋贼"与真羽毛

　　演化继续向前，我们来看一看恐龙世界著名冤案的主角——**窃蛋龙**。由于发现地附近有一堆**原角龙化石**，并且身体下面恰好有一窝恐龙蛋，它被认为是以原角龙的蛋为食。毕竟那个醒目的"鹦鹉嘴"看上去很适合用来凿开恐龙蛋。这种判断有点武断了。在后续的研究中，人们众说纷纭，有认为它们以螺类为食的，也有认为它们是杂食动物的。最新的一些观点则认为窃蛋龙的食谱以坚果和种子为主，兼有一些小动物。

　　在窃蛋龙身上，我们可以看到真正意义上的**鸟羽毛**：空心羽轴，两侧分布着诸多羽支，从羽支上面又向两侧分出了很多小羽支；小羽支上有小倒钩，相邻的两根羽支上的小羽支相互交叉并钩挂在一起，使得羽毛变得坚固、能兜风。但很可惜，由于**翅膀太小**，窃蛋龙仍然不是一种会飞的恐龙，无论是否爱干坏事，它都只能靠两条腿逃命。

窃蛋龙的羽毛具有
真正的小羽支 →

窃蛋龙属 (*Ovivaptor*)

始祖鸟属 (*Archaeopteryx*)

鸟的鼻祖

接下来，就该正式进入**鸟翼类恐龙**时代了，这是最接近现代鸟类的一类恐龙，它们的鼻孔不像其他恐龙那样靠前，而是开始向后移，处在上颌最前面几枚牙齿之后。在鸟翼类恐龙中，比较原始的一个成员就是大名鼎鼎的**始祖鸟**。始祖鸟身上最突出的特征是：一部分羽毛由左右对称的形状变成了不对称，一侧较窄，另一侧较宽。这种**不对称羽毛**主要分布在翅膀后面，相互交叠，并且可以转动，形成了功能强大的飞羽。

关于始祖鸟是否会飞，始终没有定论。多数科学家认为始祖鸟只会**滑翔**，但也有人用一种不同于现代鸟类的扇动翅膀的方式，解释了它如何飞行。就算始祖鸟会飞，它翱翔天空的能力恐怕也无法与现代鸟类相提并论，因为它的屁股后面仍然拖着一根长长的尾巴。

向上抬升时，飞羽间错开缝隙，让空气通过

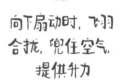

向下扇动时，飞羽合拢，兜住空气，提供升力

不对称的羽毛

空中转向舵

孔子鸟属 (*Confuciusornis*)

左边就是尾椎"压缩"形成的尾综骨

同属鸟翼类恐龙，**孔子鸟**又比始祖鸟有所进步，其中最大的一项就是**尾综骨**的形成。

所谓尾综骨，指的是恐龙原本长长的尾巴中的各节尾椎缩短并且聚合在一起，形成了**现代鸟类**的那根像小肉瘤一样的尾巴，比如鸡屁股尖。这不但减少了尾巴带来的重量和阻力，还将尾巴变成了一个飞行中的重要工具：尾羽像扇子一样排列在上面，成了飞行中的转向舵和减速闸。

孔子鸟的另外一项特征，是牙齿退化消失，嘴巴变成了现代鸟类的那种**骨质喙**。种种迹象表明，它距离现代鸟类只有一步之遥了。多数科学家支持孔子鸟会飞的观点，但也认为孔子鸟的胸部肌肉不够发达，尚不足以让它进行长时间的飞行。

龙骨突

真正的鸟

　　飞行是极其耗费体力的运动，需要强大的胸部肌肉来支持。当演化的脚步来到真正的现代鸟类，它们出现了发达的**龙骨突**。龙骨突就是胸骨正中间的一道棱，在现代鸟类身上，它显著扩展成了板状，可以附着发达的胸肌。这正是鸟类**飞行力量**的来源，让它们从只能进行简单飞行的"菜鸟"，变成了搏击长空的飞行健将。

　　翅膀本身的一项变化同样值得注意，那就是第二指和第三指合并在一起，第一指也退化成了一个小突起。你只需要观察一个**鸡翅尖**就能看明白：主体部分是合并之后的第二指和第三指，而旁边那个小尖尖就是退化后的第一指。这项演变让翅膀变得更加简洁高效，但也丧失了像始祖鸟前肢那样用来爬树的功能。

　　至此，曾经称霸陆地的恐龙彻底改头换面，飞上天空，成了新时代的宠儿。

翅尖愈合起来的指骨

家鸽（*Columba livia domestica*）

一个关于分化的故事

在演化中，新物种的产生往往并不是从一个变成另一个，经常是一个分化成两个，两个分化成更多……一层层逐级分化，不同的分支演化速度不同，同时也伴随着一些旧物种的消亡。就这样，一个生命类群从无到有、从有到多，最终演化出了丰富的物种多样性。

关于"分化"，鲸和海豚共同构成的**鲸豚类**为我们讲述了一个绝佳的故事。从鲸豚类的祖先实现**"质变"**，由陆地进入水中生活的那刻起，它们就闯进了一个全新的世界，在海洋这个广阔的舞台上，演绎出了万分精彩的生命故事。历史上曾经出现过游走鲸、矛齿鲸等原始鲸类，而到今天，鲸豚类已经通过分化形成了**须鲸**和**齿鲸**两个大类，大约 86 个物种。它们能从不同角度去利用丰富的海洋资源，这既让资源得到了最大程度的利用，也避免了近亲间的过度竞争，非常有利于族群的发展。

鲸生活在海洋里，因为体形像鱼，许多人管它叫鲸鱼。其实它不属于鱼类，而是哺乳动物。在很远的古代，鲸的祖先跟牛羊的祖先一样，生活在陆地上。后来环境发生了变化，鲸的祖先生活在靠近陆地的浅海里。又经过了很长很长的时间，它们的前肢和尾巴渐渐变成了鳍，后肢完全退化了，整个身子成了鱼的样子，适应了海洋的生活。

—— 部编版小学语文课本，五年级（上）

《鲸》

须鲸：庞大的滤食动物

　　须鲸类体形巨大，嘴也极大，它们嘴里没有牙齿，而是两排长在上颌上的鲸须。鲸须就像缝隙很小的**密毛刷**一样，海水能够从中通过，小动物却不能，这使得须鲸能用过滤海水的方式进食。虽然都是通过鲸须**滤食**，但须鲸分为几个不同的科，它们在进食的具体方式上还是有着细微差别的。

　　露脊鲸科包含四种露脊鲸，强烈弯曲的颌线和超长的鲸须、没有背鳍是它们的显著特征。吃东西的时候，露脊鲸来到海面，

露脊鲸

张开大嘴缓缓游动，让水从正面进入口腔，再穿过鲸须，向两侧排出。这样一来，水里大量的食物就留在了鲸须上。几分钟之后，露脊鲸合上嘴，用舌头把沾在鲸须上的食物刮下来，然后吞掉。在体长可达 18 米的露脊鲸的食谱中，大部分是浮游在海水中的**桡足类水蚤**，它们几乎是人类能用肉眼看到的最微小的动物。很难想象，它们的身躯如此庞大，吃的食物却如此微小。因为猎物太小，完全没有能力逃出"如来佛的手掌心"，所以露脊鲸采取了这种缓慢的进食方式，以稳妥为第一要务。

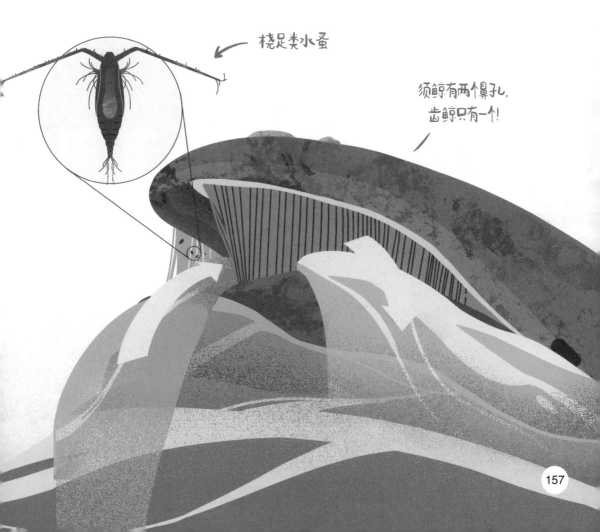

桡足类水蚤

须鲸有两个鼻孔，齿鲸只有一个!

另外一个演化分支则包含了三个科：**新须鲸科**，只有一个现代物种——小露脊鲸，虽然叫这个名字，但它与露脊鲸的关系其实相对远；**灰鲸科**，同样只有一个现代物种——灰鲸；**须鲸科**，包含九个物种，著名的座头鲸、蓝鲸、长须鲸等都属于须鲸科。其中，小露脊鲸的进食方式很可能与露脊鲸相同，而另外的灰鲸科和须鲸科则分化出了截然不同的进食方式。灰鲸有一种特殊的进食方式（但不是唯一的），它们可以**侧躺**在海底，将嘴的一侧贴在海床上，把泥沙等沉积物吸进嘴里，再通过另一侧的鲸

灰鲸侧卧在海底的特殊进食方式

蓝鲸

须滤出去，留下里面的糠虾、沙蚤（跳虾）等小型甲壳类动物。

最壮观的进食方式属于须鲸科，它们最主要的食物包括那些喜欢聚成大群的鱼（比如沙丁鱼）和磷虾，这些猎物拥有更快的反应和运动速度。捕猎时，它们会从远处加速，朝着鱼群或是磷虾群冲去，接近海面时，把大嘴张成夸张的角度，一口将大群的猎物连同海水**团团吞下**，然后闭上嘴巴，让海水穿过鲸须滤出去，这样就可安享美食了。

齿鲸：海洋健将

相比体形庞大、依靠鲸须滤食的须鲸类，**齿鲸类**则拥有锋利的牙齿，体形更加小巧，行动更加敏捷，头脑也更加聪明，能够捕杀比较大的猎物。

齿鲸类拥有丰富的物种，其中最原始的是**抹香鲸**和**小抹香鲸**。虽然体形相差很多，但它们有个共同特点——标志性的方形大脑门里储存着大量的"鲸蜡"。有科学家认为，通过调节鲸蜡的温度，抹香鲸可以上浮和下潜。不管这种说法对不对，抹香鲸和小抹香鲸都是货真价实的**潜水高手**，尤其是抹香鲸，可以下潜到 1000 米以下的深度去捕猎。虽然抹香鲸常常被描绘为巨型鱿鱼的杀手，但它们最常吃的食物其实是中型鱿鱼。

抹香鲸

接下来分化出来的，一部分是种类很丰富、行踪隐秘的**喙鲸科**。它们长着比较长的嘴巴，样貌近似海豚。喙鲸同样是潜水高手，除了换气，它们基本都潜在几百米深的水中。利用经过了**特殊演化**的喉部，喙鲸形成了特殊的捕食方式：它们的喉部可以猛地张开，让舌头迅速回缩，瞬间吸入一大口水，将鱿鱼、鱼或者蟹吸到嘴里。

另一部分则是一些生活在淡水中或者河口处的豚，其中最出名的是长江中曾经的瑰宝，十多年前已经被宣告功能性灭绝的**白鱀豚**。白鱀豚拥有十分突出的长嘴巴，可以用来在河底的泥沙中探测鱼类，也非常有利于咬住鱼儿。

白鱀豚

一路往北走，我们将看到的是北冰洋中造型奇特的**一角鲸**和可爱的**白鲸**，它们都属于一角鲸科。它们的背鳍已经退化了，这让它们可以在冰面下顺畅地游泳。雄性一角鲸的犬齿变得又直又长，穿透上唇伸出来，这是它们用来较量和确立自己家族地位的武器。白鲸号称"海中金丝雀"，因为能发出数不清的令人类着迷的声音用以交流。此外，白鲸虽然是齿鲸里游泳速度最慢的，但却拥有一手"向后倒着游"的绝技。

与一角鲸科关系很近的是**鼠海豚科**，包含很多体形娇小的物种。相比真正的海豚，鼠海豚的嘴巴很短，牙齿是扁平的铲形，而不是尖锐的长刺形。并且，鼠海豚不喜欢开阔的海域，而是生活在海岸线附近、江河入海口，甚至是江河的中下游和湖泊中，喜欢在底层水域寻找各种食物。最有名的鼠海豚科物种是长江中的**江豚**，和白暨豚一样，它们因人类对长江的开发利用而

一角鲸

虎鲸

长吻真海豚

遭受着威胁。

最后，齿鲸类演化顶端的明珠，是物种丰富的**海豚科**——真正意义上的海豚。高度的智慧、复杂的社会结构、飞快的游泳速度和高超的泳技……这一切都让海豚拥有了无与伦比的适应能力，使它们能够征服远洋和近海，捕捉大大小小的各型猎物。一群海豚会利用**团队合作**，从四面八方将鱼群驱赶到一起，形成一个密集的鱼团，随后逐个穿过鱼团，如探囊取物般轻松捕获猎物。这是海豚专有的捕鱼高招。

还有一种重要的"鲸"，你也许惦念已久，那就是**虎鲸**。其实虎鲸也属于海豚科，是海豚当中最原始的一个成员。相比一般的海豚，虎鲸体形更大，游泳速度更快，最喜欢的猎物不是鱼，而是海狗、海狮等海兽，甚至是其他种类的鲸。虎鲸的"**母系族**"也是鲸豚类中的独特个例，它们的族群完全由年长的雌性掌控，雄性不会流浪，更不会成为王，只会乖乖地跟在母亲或者外祖母的身边。从虎鲸这个习性中，我们可以看到，即使是海豚科内部，细枝末节的分化也是随时在进行的。

一个关于趋同演化的故事

深深扎在水下淤泥里的根部，浮出水面的圆形大叶子，花瓣层层叠叠的花朵……这描述的是中国古代诗歌里"江南可采莲，莲叶何田田"的莲花，还是莫奈画笔下梦幻的睡莲？莲和睡莲长得这么像，它们有什么关系？

其实，因为实在长得太像了，就连早期的植物学家们也以为莲和睡莲是**近亲**，所以把莲分到了睡莲科里。直到后来学术继续发展，大家才发现两者原来大不相同。那么问题来了，为什么莲和睡莲明明关系很远，却长得如此相似？

演化给出的答案是：在水生生活中，莲和睡莲不约而同地选择了相同的方法去适应，并且演化出了相似的外形，用来实现这些功能。科学家将这种关系很远的物种具备相似特征的现象称为**趋同演化**，相关的例子在自然界多得数不清。

江南可采莲，
莲叶何田田。

—— 部编版小学语文课本，一年级（上）

《江南》

分辨莲与睡莲

从生物学分类上来说，莲和睡莲的**亲缘关系**很远。莲，也就是人们俗称的**荷花**，来自山龙眼目里的莲科，处在被子植物（开花植物）演化树的中间位置；而睡莲则属于睡莲目里的睡莲科，处在被子植物演化树的根部位置，是最原始的被子植物之一。

仔细观察，就能发现莲和睡莲的**不同之处**。首先是叶片。莲的叶片是完整的圆形；睡莲的叶片则有一个窄扇形的缺口，像一张被切去了一角的比萨饼，这是最直观的一个区别。

其次是果实。莲的果实就是我们熟悉的**莲蓬**，莲子嵌在一个个孔里；睡莲的果实不像莲子一样裸露在莲蓬外，而是果皮把

睡莲

花→

叶→

果实→

果实

叶

花

莲

种子都包在里面。究其根本，这是因为它们的**花蕊**有很大不同，莲有很多个小雌蕊，每个小雌蕊只会结出一粒种子；而睡莲的雌蕊则融合成了一个大的，里面能结出很多种子。花的细节特征是植物分类学所采用的终极标准。当我们分不清两种植物的茎和叶时，仔细研究一下它们的花，总会有所收获。

水池里，睡莲刚闭上眼睛，就被呜呜的哭声惊醒了。

—— 部编版小学语文课本，一年级（下）

《夏夜多美》

莲叶出水

扎根于水中的泥土，再把叶子露出水面接受阳光，这是莲和睡莲面对水生环境所采取的相同**生活方式**。因为在水生环境中，如果叶子长在水里，阳光在穿过水面抵达叶子的过程中就会损失很多能量。所以，作为两种**喜阳**的植物，莲和睡莲首要的任务就是将叶片顺利地伸出水面，伸展成大大的圆形，以便充分吸收阳光。

莲和睡莲的叶子都是从埋在泥土中的茎里长出来的，为了钻破淤泥，也为了在展开时更顺利地浮于水面，它们各自具备**防水妙招**。莲的叶片表面有很多微小的突起，这些突起之间的距离刚刚好，能够利用水分子之间聚合的张力将水滴托起，使之不浸湿叶片表面，这种防水特性的物理原理被称为**莲叶效应**。在它的作用下，莲叶得以"出淤泥而不染"，不会被泥土妨碍吸收光线。睡莲叶子的防水原理要更加简单直接一些，它的叶子表面覆盖了一层高度防水的**蜡质**，因此一来到水面立刻就能将上面的水排开，漂浮起来。后面的日子里，即使刮风下雨，莲和睡莲的叶子也能及时排水，并保持清洁。

把叶子浮出水面还因为叶子要负责**吸收空气**，这个任务由叶子表面的**气孔**来完成。由于叶子浮在水面，莲和睡莲都只在叶子的上表面生有气孔，下表面则没有——莲叶在刚刚展开的幼嫩期浮在水面上，睡莲叶则多数情况都浮在水面上，所以下表面长气孔也没有用。

莲和睡莲的**叶柄**里面都有好几条中空的通道，空气顺着这些通道被输送到水下的茎和根，供这些器官呼吸。事实上，莲和睡莲各自有一套贯穿全身的**空气循环系统**，远远比陆生植物的更复杂。虽然它们的具体工作方式有所不同，但确实起到了异曲同工的效果，帮助它们解决了在水下呼吸的大难题。

莲叶表面微小突起间的距离刚好够托起水珠

其他的相似点

除了叶子，莲和睡莲还有其他的相似之处。在水下的淤泥中，莲生长着它粗大的**地下茎**——藕，储存着大量的营养物质。冬天到来时，北方的水面会封冻，南方一些水域会枯水，这会使得莲的叶和花都枯死。但是，藕却凭借着自身储存的营养物质存活了下来，等着在来年的春天再次萌发新叶。睡莲也有类似的结构——粗壮的根状茎，但它不像莲藕那样是一节一节的，中间也没有通气的孔。生长在**热带的睡莲**不需要越冬，所以根状茎不是很明显；而那些生长在温带的睡莲，根状茎是异常发达的。

至于相似的花朵特征，则来自相近的**传粉策略**——莲和睡莲的花都喜欢邀请夜行性甲虫来传播花粉。它们都拥有华丽的外

睡莲的根状茎

形，都会散发出浓郁的香气，甚至都会在傍晚时分通过分解体内的淀粉来产生热量。**发热**会让香气散发得更厉害，并且在寒夜里为甲虫暖身子，方便它们的活动。进入深夜后，莲的花瓣会合起来，把来访的甲虫**关在里面**，让它在花里多活动，多沾上一些花粉——多层花瓣的优势在此处体现得淋漓尽致。睡莲的种类比较多，并不是每种的传粉方式都被研究过，但至少有一些种类也有在特定时间段合上花瓣"囚禁"甲虫的习性。

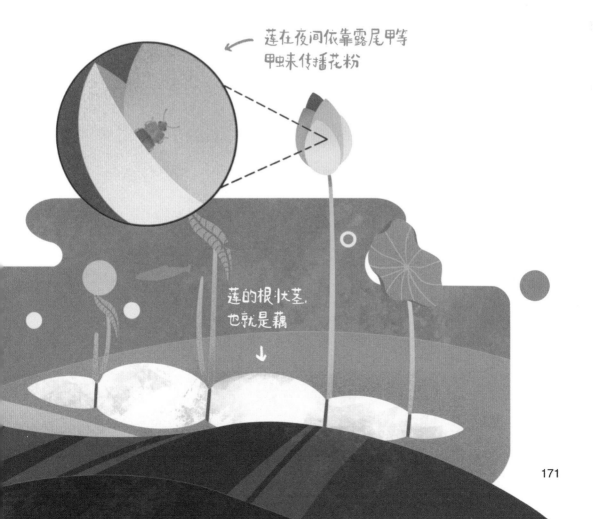

莲在夜间依靠露尾甲等甲虫来传播花粉

莲的根状茎，也就是藕

后记

在这本书中，我们认识了我们赖以生存的地球。

我们知道了地球在宇宙中的位置和自身结构，知道了这些因素如何决定地球环境的形成与变迁，也领略了生命在环境中的适应、发展和演变。虽然我们暂时不知道，宇宙中还有多少颗和我们一样的星球——阳光明媚、流水潺潺、鸟语花香；但我们至少知道，地球因何而美丽多彩、生机勃勃。

地球靠近一颗温和而稳定的恒星——太阳，并且距离刚刚好，拥有液态水、大气层和磁场，以及不断变化的表面岩石圈。有了这些要素，地球便具备了产生生命的基本条件。随后，也许是偶然，也许是假以时日后的必然，生命在地球上诞生了，并一直延续至今。

与此同时，地形、阳光、土壤、温度、降水等因素，共同塑造了一个地方的生态环境，于是我们看到了森林、草原、湿地和荒漠。这些不同的环境条件首先决定了哪些植物会在这里生长，接着又提供了适合某些动物生存的条件。环境是舞台，物种是演员，一场关于生命的好戏就此上演了。

动植物物种缓慢却永不停歇地进行着自我调整，以适应地球上时刻变化的环境，于是新的物种不断地形成，旧的物种慢慢地消亡。在这个永远在进行的演化过程中，舞台上你方唱罢我登场，涌现出了变化万千的生命形式。无论你觉得多么怪异的生物物种，都是在这个过程中诞生的。地球上的自然地理特征，包括地形、土壤、岩石、温度、水文、物种等，就是这样随着时间推移和宇宙环境的改变而不断发生着改变。

1万年，这个时间对于46亿年的地球历史来说很短暂；但对于人类来说，1万年前，我们才刚刚走出地球的上一个冰期，进入了现在这个气候渐暖的间冰期。而在笔者们创作本书的短短两年间，反常的炎热气候正在影响着我们每一个人和其他每一个物种的生活。关于目前的气候变化，我们很难判断几分是因为天体活动，几分要归咎于人类行为。但无论如何，人类和其他动植物都必须面对变化所带来的挑战，或是通过科技的发展，或是通过演化和自然选择。

本书的出版经历了十分艰辛的创作和编审过程。感谢各位文字作者的潜心创作。感谢独见工作室美观且准确的插画，以及不厌其烦的反复修改。中信出版集团的鲍芳、明立庆、杨立朋老师在策划和编审环节提供了大量专业建议，为全书的体例和语言确立了标准。刘莹老师对稿件进行了细致认真的科学审稿，斧正了我们的很多错误。很多其他朋友也提出了宝贵意见或知识，在此一并感谢。

执行主编 罗心宇